LE DÉVELOPPEMENT
PERSONNEL

MICHEL LACROIX

LE DÉVELOPPEMENT PERSONNEL

Préface de Christophe André

MARABOUT

Se réaliser : petite philosophie de l'épanouissement personnel, Robert Laffont, 2009.

Avoir un idéal, est-ce bien raisonnable ?, Flammarion, 2007.

Le Fabuleux destin des babyboomers, L'Atelier, 2005.

Le Courage réinventé, Flammarion, 2003.

Le Culte de l'émotion, Flammarion, 2001.

Le Mal, Flammarion, coll. « Dominos », 1998.

Le Principe de Noé, ou l'Éthique de la sauvegarde, Flammarion, 1997.

L'Idéologie du New Age, Flammarion, coll. « Dominos », 1996.

La Spiritualité totalitaire : le New Age et les sectes, Pion, 1995.

L'Humanicide. Pour une morale planétaire, Plon, 1994.

De la politesse. Essai sur la littérature du savoir-vivre, Julliard, 1990. Couronné par l'Académie française.

© Éditions Flammarion, Paris, 2000.

Sommaire

Objectifs et méthodes

Le développement personnel en question

PRÉFACE

Il ne faut jamais dire oui trop vite.

Lorsque Michel Lacroix m'a demandé de rédiger la préface de son livre *Le Développement personnel*, j'ai tout de suite accepté, sans réfléchir : j'ai pour lui de la sympathie et de l'estime, son livre est excellent, et sa demande m'honorait. Mais lorsque j'ai commencé à relire son ouvrage pour préparer ma préface, j'ai regretté mon oui si spontané : que dire de plus que ce qu'il avait déjà écrit ? Son livre est un modèle du genre, que pouvais-je y ajouter ? Après bien des tergiversations, et puisque je ne voulais pas revenir sur ma parole donnée, j'ai fini par décider de faire simple : puisque je suis médecin et psychothérapeute, et que le développement personnel m'intéresse depuis longtemps, je vais vous donner l'avis d'un médecin psychothérapeute sur le développement personnel. En réalité, je crois que c'est exactement ce que Michel attendait de moi. Je l'espère en tout cas...

Nous autres psychothérapeutes avons parfois tendance à prendre d'un peu haut le développement personnel et à percevoir ce dernier comme une sorte de sous-thérapie…

Sur le plan des techniques utilisées, d'abord. Il est vrai que beaucoup des méthodes de développement personnel sont des adaptations simplifiées de démarches psychothérapiques : l'analyse transactionnelle, avec ses trois « états du moi » (parent, adulte, enfant), est clairement dérivée de la psychanalyse (Surmoi, Moi et Ça) ; la PNL (programmation neurolinguistique) emprunte beaucoup aux approches comportementales et cognitives… Mais après tout, une simplification, si elle est bien pensée et opérationnelle, n'est pas un crime en soi.

Autre argument alimentant le complexe de supériorité des thérapeutes : la thérapie, c'est pour soigner de vrais patients, avec de vraies souffrances, alors que le développement personnel ne s'adresse qu'aux bien-portants. Il serait donc plus facile de faire du développement personnel que de la thérapie. En réalité, il est aussi utile, et parfois même aussi difficile, d'aider des gens bien portants à le rester que de soigner des malades.

Enfin, les psychothérapeutes sont souvent des psychologues, des psychiatres ou des médecins, alors que les spécialistes du développement personnel se recrutent dans absolument tous les milieux professionnels (soignants, mais aussi philosophes, enseignants, ingénieurs, profs de gym ou de yoga…). Les « développeurs personnels » seraient donc en moyenne moins fiables que les psychothérapeutes. D'ailleurs, la psychothérapie s'exerce dans un cabinet de thérapeute, alors que le développement personnel peut se pratiquer un peu partout, à l'école, dans l'entreprise ou tout autre lieu de vie. Les risques de confusion ou de dérapage seraient-ils alors plus élevés dans le développement personnel que dans la thérapie ?…

Évidemment, nous autres thérapeutes aurions tort de penser cela. Et vous allez découvrir pourquoi tout au long de cet ouvrage. Car en réalité les rapports entre psychothérapie et développement personnel sont bien compliqués. Je me suis souvent surpris, en tant que thérapeute, à faire du développement personnel avec mes patients : une fois qu'un individu déprimé ou phobique est guéri, mon souci est qu'il ne rechute pas. Nous discutons alors de la manière dont il va pouvoir prendre l'existence pour éviter de redéprimer ou de s'angoisser à nouveau. La thérapie cognitive (comment ne pas voir le monde plus noir qu'il n'est) glisse ainsi du côté de la philosophie de vie (comment profiter intelligemment des moments heureux), les principes de la thérapie comportementale (ne pas éviter les problèmes, savoir se relaxer…) se transforment en style de vie, etc. Nous utilisons parfois les mêmes « outils », les mêmes « psychotechniques » selon le mot de Michel Lacroix, mais au service d'objectifs différents : non plus guérir ou faire reculer la souffrance, mais prendre la vie par le bon bout, et se maintenir en bon équilibre émotionnel.

Vivre une vie plus heureuse, plus cohérente, plus riche de sens… En somme, le développement personnel pourrait être compris – toujours cette déformation du regard du thérapeute – comme une démarche de prévention. Prévention primaire (éviter la survenue des problèmes psychologiques et maintenir en bonne santé) ou prévention secondaire (une fois les problèmes survenus, faciliter leur résolution et prévenir les rechutes).

Tout irait donc pour le mieux dans le meilleur des mondes ? Pas tout à fait, et ce pour deux raisons, qui rendent ce livre nécessaire.

La première est terre à terre, mais capitale : comment s'y retrouver dans la jungle des propositions, la multitude des méthodes, la prolifération des experts, reconnus ou autoproclamés ? Comment éviter le n'importe quoi, fait n'importe comment, par n'importe qui ? La réponse est simple : il faut connaître les méthodes, leurs prétentions, leurs histoires. Dans ce but, Michel Lacroix présente une synthèse exhaustive et concrète, qui permettra au lecteur de mieux comprendre ce qu'est le développement personnel, de s'y retrouver dans ses multiples courants, de savoir qu'en attendre, etc.

La seconde raison d'être de ce livre, c'est qu'il ne propose pas seulement un état des lieux, mais aussi une visite guidée et éclairée : Michel Lacroix décrit, commente, mais il donne aussi, chaque fois que nécessaire, son sentiment. Il suscite et nourrit notre réflexion. Il est, au final, un guide parfait, car il est impartial – il n'est ni « psy » ni « coach » – et il sait, en tant que philosophe, nous faire prendre de la hauteur. Les enjeux sociaux du développement personnel sont en effet importants : jusqu'où le soin de soi est-il compatible avec la morale, le bien commun, l'altruisme, l'abnégation, les renoncements nécessaires à toute vie sociale ? Une belle vie peut-elle être aussi une bonne vie ? Pour Michel Lacroix, le développement personnel n'a de sens et d'utilité que s'il ne se fonde pas sur l'oubli des valeurs.

Voilà pourquoi ce livre, qui est certes, avant tout, un livre *sur* le développement personnel, est aussi par son intelligence et son humanité un livre *de* développement personnel.

Christophe ANDRÉ
Médecin psychiatre
à l'hôpital Sainte-Anne, Paris.

La première fois qu'apparaît un mot relevant d'un vocabulaire spécialisé, il est suivi d'un *. On trouvera sa définition dans le glossaire p. 133.

Avant-propos

Un nouveau culte a fait son apparition dans la société : le culte du développement personnel. Il attire à lui un nombre croissant d'adeptes, désireux d'accroître leurs facultés psychiques et d'actualiser leur « potentiel ». Ces adeptes utilisent des techniques variées, allant de la pensée positive* à la relaxation*, de l'affirmation de soi à la méditation, de la PNL* (programmation neurolinguistique) au *coaching**, de l'analyse transactionnelle* à la modification des états de conscience. Le but qu'ils poursuivent est double. D'une part, il s'agit de mieux communiquer, de développer des talents de négociateur ou de leader, d'accroître son assertivité*, de devenir plus créatif. En ce sens, le développement personnel est au service de la réussite. Mais les adeptes sont aussi en quête d'une expérience de l'être et d'un approfondissement de leur vie intérieure. Au moyen d'un travail sur leurs états modifiés de conscience et sur leur corps, ils veulent se frayer un chemin vers une forme de mystique. Ce dualisme de la réussite et de l'aspiration métaphysique, de l'efficacité professionnelle et de la vocation spirituelle, de la performance et de la transcendance est un trait qui frappe l'observateur.

Le développement personnel constitue aussi un secteur économique en pleine expansion. Les petites annonces de magazines comme *Nouvelles Clés, Psychologies, L'Essentiel* s'ouvrent à une foule de formateurs ou thérapeutes dont les stages et les consultations atteignent des coûts élevés. Sur ce « psychomarché », une part importante de la demande provient des directions des ressources humaines en entreprise, tandis que l'offre est souvent assurée par des cabinets de consultants et des organismes de formation continue. Enfin, le développement personnel représente un créneau éditorial florissant : les rayons des libraires croulent sous le poids de livres traitant de la réussite, de l'optimisme, du bonheur, de l'harmonie intérieure, de l'harmonie avec les autres, de l'affirmation et de la réalisation de soi…

Paradoxalement, alors que le développement personnel connaît un tel succès, les formateurs et leurs clients sont dans l'embarras dès qu'on leur demande de définir leur occupation et de la théoriser. La tâche n'est pas facile car, en dépit d'une abondante littérature issue de l'intérieur du mouvement, il n'existe pas d'ouvrage de synthèse conçu avec un recul critique. Il y a quantité de livres *de* développement personnel, mais pas de livre *sur* le développement personnel. Le monde intellectuel ne lui a guère accordé d'attention

jusqu'à présent ; il s'en détournerait plutôt avec iro-
nie, sinon avec horreur, croyant n'avoir affaire qu'à
une mode passagère d'origine américaine.

Le but de ce livre est de combler cette lacune en
ouvrant un débat sur les objectifs et les méthodes du
développement personnel. Nous en construirons une
définition à partir des écrits des théoriciens du mouvement. Ainsi verra-t-on que, au-delà de la diversité
des « psychotechniques », une doctrine cohérente se
dégage. Quelles sont ses sources ? Quels sont ses pré-
supposés scientifiques ? Quelle est la philosophie du
développement personnel ? Telles sont les questions
auxquelles nous tenterons de répondre.

Notre essai s'intéressera aussi au déroulement des
stages. Qui sont ces formateurs qui se présentent
sous les noms les plus divers : « *coachs* », « aidants »,
« proposants », « accompagnateurs », « conseillers »,
« guides », « dynamiseurs de projets » ? Quelles relations entretiennent-ils avec leurs clients ? Nous ne
pourrons passer sous silence certains abus financiers et
le risque de manipulation que comportent ces pratiques. Nous verrons le danger d'une rationalisation de
la vie intérieure, d'une technicisation de la subjectivité.
Et il serait naïf d'ignorer la présence occulte des sectes,
pour lesquelles l'engouement suscité par le développement personnel représente une véritable aubaine.

Afin de mener à bien ce travail, nous avons puisé
à la source des grands écrits doctrinaux dont se
réclame le mouvement du développement personnel

ainsi que dans la littérature mineure, où le meilleur côtoie le pire. Nous avons suivi de nombreux stages en nous plaçant dans la position que la sociologie appelle « observation participante », et interrogé maints formateurs qui ont accepté de nous faire partager leur expérience professionnelle. L'ouvrage que l'on va lire est donc le fruit d'une double enquête, à travers les livres et sur le terrain.

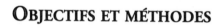

OBJECTIFS ET MÉTHODES

Chapitre I
Au-delà de la psychothérapie

Qu'est-ce que le développement personnel ? Pour répondre à cette question, tâchons de déterminer d'abord ce qu'il n'est pas. Le développement personnel n'est pas la psychothérapie ; il est d'un autre ordre que la psychologie clinique. Cela ressort, en premier lieu, de l'examen de ses caractéristiques extérieures.

Le cadre dans lequel il se déroule n'est pas, à l'évidence, celui du traitement des maladies mentales. Le développement personnel se pratique dans des séminaires et des stages qui sont, le plus souvent, de courte durée. Les « clients » s'inscrivent au gré de leur désir ; ils n'hésitent pas à abandonner une technique au profit d'une autre. Ainsi feront-ils successivement un stage de pensée positive, d'affirmation de soi, de chant ; ils essaieront la bioénergie* ou se laisseront tenter par la respiration holotropique* ; après avoir tâté un peu d'hypnose* ou de méditation transcendantale*, ils séjourneront dans quelque ashram*…

Ces parcours sinueux sont caractéristiques du développement personnel.

Au surplus, les clients entretiennent avec leurs formateurs ou conseillers une relation différente de celle du patient avec son psychothérapeute. Celle-ci n'implique aucun engagement précis et contractuel. Elle repose encore moins sur le mécanisme du transfert ou sur celui de la régression, qui jouent un rôle majeur dans les traitements d'inspiration psychanalytique.

Quand on les interroge sur leur pratique professionnelle, les formateurs confirment cette orientation non thérapeutique. Ils entendent se placer sur un autre terrain que celui de la psychologie clinique : ils sont intéressés, assurent-ils, par les projets de vie de leurs clients, et non par leurs symptômes cliniques. C'est pourquoi ils préfèrent discuter des objectifs plutôt que des problèmes et résument volontiers leur pratique professionnelle en disant qu'elle est tournée vers l'avenir et non vers le passé. Un de leurs postulats est que, si l'on prend la décision de « changer », il est vain, et même contre-productif, de remuer le passé, d'exhumer son enfance, de revivre des expériences négatives anciennes. De façon significative, Jacques Dechance, formateur de renom, fixe avec humour la règle suivante : « Si vous me parlez de vos problèmes, déclare-t-il à ses clients, vous paierez double tarif. Si vous parlez de vos solutions, vous paierez demi-tarif[1]. »

Cette attitude va de pair avec une défiance envers la psychanalyse et, d'une manière générale, envers les psychologies interprétatives tournées vers l'anamnèse*. Il n'est pas nécessaire, affirment les formateurs, d'accumuler une masse d'informations sur la genèse de nos difficultés présentes. On n'en a jamais fini avec des interrogations telles que « Pourquoi ai-je tendance à être déprimé, à douter de moi ? » ; « Pourquoi ai-je telle phobie* ? » ; « Pourquoi cette difficulté à m'entendre avec les autres ? Que signifie-t-elle ? En quoi renvoie-t-elle à mon passé ? » et il y a mieux à faire que de s'y attarder. À la question relative au *pourquoi*, le développement personnel substitue une approche fondée sur le *comment* : « Comment puis-je, concrètement, remédier à ma situation ? » ; « Comment établir des relations riches avec les autres ? » ; « Comment mieux communiquer ? » ; « Comment devenir optimiste ? ». Voici un homme qui paraît « doué pour le bonheur » ; quelle est sa recette ? Tel avocat, tel médecin, tel agent commercial, tel enseignant sont réputés pour être d'excellents professionnels. Quel est leur secret ? Cet artiste est créatif, ce leader a du charisme, ce maître spirituel rayonne de

---

1. J. Dechance, *Le Développement personnel. Pourquoi ? Comment ?* Souffle d'or, 1995, chap. II, p. 45.

tant de sérénité qu'il semble appartenir à une humanité supérieure. Comment font-ils ? Pourrai-je moi aussi atteindre cette excellence, cette sagesse ? Ces questions reviennent constamment dans les conférences et les stages.

Le développement personnel se distingue également de la psychothérapie en ce qui concerne ses formateurs. Dans la majorité des cas, ils n'ont pas la compétence qui leur permettrait de se comporter en psychologues cliniciens. Même s'il leur arrive de s'appeler « thérapeutes » (l'usage de ce titre est libre en France), leur qualification n'est pas de même niveau, ni surtout de même nature que celle des psychiatres ou des psychothérapeutes. Les techniques de psychologie appliquée qu'ils utilisent – la PNL, l'hypnose, la sophrologie*, l'analyse transactionnelle, la pensée positive, la bioénergie, la méditation, la gestalt-thérapie*, la relaxation, etc. – les laissent démunis face aux vraies maladies mentales. Avec prudence, ils écartent d'ailleurs les cas cliniques de leurs stages, de sorte que ces derniers sont fréquentés par des gens qui, somme toute, sont bien portants. Ainsi, tel institut parisien de respiration holotropique demande à ses clients de signer, avant le stage, une déclaration certifiant qu'ils ne souffrent d'aucune pathologie mentale…

Dès lors, la question qui se pose est celle-ci : si le développement personnel ne s'adresse pas à des « malades », qui concerne-t-il ? Ne se réduit-il pas à une activité secondaire, à un aimable amusement ? Est-il le parent pauvre de la psychologie ?

En réalité, le développement personnel s'occupe d'un objet qui, pour être différent de la psychologie clinique, a une importance capitale. Celui-ci se laisse circonscrire par des mots – « épanouissement », « réalisation de soi », « créativité », « accomplissement », « plénitude », « bonheur » – qui, au-delà de leur banalité apparente, désignent quelque chose d'essentiel pour la conduite de vie.

Maslow et la pyramide des besoins

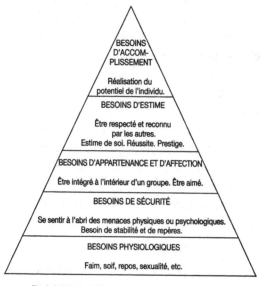

D'après A. H. Maslow, *Motivation and Personality*, New York, Harper, 1970.

Ces termes renvoient à la théorie de la personnalité forgée par le psychologue américain Abraham Maslow (1908-1970). Il est l'une des figures majeures de la psychologie humaniste*, appelée aussi Mouvement du potentiel humain, qui vit le jour au cours des années 1960 à Esalen, en Californie, et qui joua un rôle décisif dans la genèse du développement personnel. La conception de la personnalité proposée par Maslow constitue le fondement scientifique sur lequel reposent les démarches de développement personnel.

Le point essentiel de cette théorie est la distinction entre deux types de besoins psychologiques. Les êtres humains, explique Maslow, éprouvent en premier lieu des « besoins psychologiques de base » : le besoin d'appartenance, le besoin de reconnaissance, le besoin d'estime, le besoin d'être aimé, d'être écouté, d'être protégé. La non-satisfaction de ces besoins de base entraîne immanquablement une carence, un déficit, qui se traduit par une névrose : « La névrose, écrit Maslow, peut être considérée comme une maladie déficitaire »[1]. Cette première série de besoins délimite le champ de la psychothérapie, dont la fonction est restauratrice, réparatrice : « La caractéristique principale des gens qui ont besoin d'une psychothérapie, précise Maslow, est une déficience ancienne ou actuelle

---

1. A. H. Maslow, *Vers une psychologie de l'être*, Fayard, 1972, p. 42.

dans la gratification d'un besoin de base »[1]. Ainsi, c'est généralement pour combler son manque d'amour, de respect, d'écoute, de reconnaissance que l'on entreprend une psychothérapie.

Outre ces besoins de base, l'être humain est soumis à des nécessités d'un niveau supérieur, que Maslow appelle « besoins de développement », lesquels se traduisent par une aspiration à l'accomplissement de soi. Aux « motivations par le déficit », qui caractérisent les besoins de base, s'opposent donc des « motivations pour le développement », ou métamotivations*, dont Maslow affirme qu'elles sont présentes dès l'enfance, sous la forme d'un désir ardent de grandir. Il décrit cette deuxième face de la personnalité à l'aide de formules puisées dans la sémantique de l'épanouissement : « mettre en œuvre ses qualités », « employer toute son énergie personnelle », « prendre conscience de ce que l'on est », « chercher l'unité et l'intégration », « accomplir sa destinée », « être créatif ». De telles expressions, notons-le au passage, n'auraient pas été déplacées dans le discours de la philosophie existentialiste et, de fait, Maslow se considérait comme un héritier de l'existentialisme (mais un héritier sous bénéfice d'inventaire car, à l'inverse de Martin Heidegger ou de Jean-Paul Sartre, il minimise la part de l'angoisse et du désespoir dans la condition humaine).

---

1. *Ibid.*

La théorie de Maslow permet de tracer la frontière entre la psychothérapie et le développement personnel : ce qui distingue fondamentalement ces deux démarches est que l'une prend en charge les besoins de base, tandis que l'autre s'occupe des besoins de développement. L'une se consacre au processus de « guérison », l'autre cherche à déclencher une dynamique de « maturation ». Dans un cas, on pense en termes d'adaptation, de restauration, d'homéostasie*, dans l'autre, on se situe dans une perspective d'évolution, de création. Il y a entre les deux démarches la même différence qu'entre l'équilibre et la croissance.

Un patient s'adresse à un psychothérapeute dans un but de guérison, de réparation, parce qu'il est confronté à l'angoisse, à la culpabilité, à la dépression. Menant une vie affective et sociale appauvrie, il attend de la psychothérapie qu'elle l'aide à moins souffrir et à s'adapter au monde. Il espère, grâce à elle, combler un manque, rétablir un équilibre et, dans la majorité des cas, il s'apercevra que ses difficultés actuelles proviennent de déficits dans la satisfaction de ses besoins d'écoute, d'amour, d'estime. En outre, il découvrira que ces manques renvoient aux premières années de sa vie et sera donc amené à renouer avec l'enfant souffrant qu'il fut autrefois, un enfant qui a été privé de sécurité affective, de tendresse, de respect, d'écoute, de compréhension, autrement dit qui n'a pas pu satisfaire ses besoins de base et qui, parfois, a subi des traumatismes. C'est grâce à cette investigation dans la profondeur de son passé que le sujet pourra retrouver une vie normale.

La vie intense

Tout autre est l'objectif du développement personnel. Les individus qui s'y engagent désirent bien plus qu'une vie normale ; ils aspirent à une vie intense. L'équilibre les intéresse moins que la croissance. Ils sont mus par une aspiration au développement et non par des besoins de base. Ils recherchent non seulement le mieux-être, mais le « plus-être ». Ils ont soif de plénitude et désirent ardemment cultiver leur âme, conformément au projet, défini par Cicéron, d'une *cultura animi*. Au lieu d'une existence qui serait seulement « adaptée », et qui leur semble presque ennuyeuse et stérile, ils rêvent d'une vie excellente, débordante de créativité, intensément heureuse. La santé psychique les occupe moins que ce que Nietzsche appelait la « grande santé », en laquelle se devine la figure du surhomme et qui s'exprime par un « grand oui à la vie »[1]. Du reste, les formateurs reprennent volontiers à leur compte la maxime qu'affectionnait le philosophe de Sils-Maria : « Deviens ce que tu es. »

---

1. F. Nietzsche, *Le Gai Savoir*, § 382.

Vivre d'une façon intégrale, vivre au maximum de ses possibilités, tel est l'objectif du développement personnel.

Ce souci de la réalisation de soi ramène aussi le sujet à son enfance, mais dans un autre sens que la psychothérapie : celle-ci cherche à réveiller l'enfant souffrant en soi afin d'expliquer la genèse des maux présents, alors que le développement personnel entend retrouver le dynamisme de l'enfant joyeux, créateur, impatient de grandir, ouvert à la nouveauté, capable d'émerveillement. Dans la littérature du développement personnel, l'enfant, qui incarne la pulsion de croissance, constitue un véritable emblème.

Les besoins de développement étant hiérarchiquement supérieurs aux besoins de base, on conçoit qu'ils ne puissent être pris en compte avant que les seconds n'aient été satisfaits. De fait, tant qu'un sujet souffre d'importants manques affectifs, il ne peut espérer se réaliser. Il importe d'abord qu'il guérisse. Chez le névrosé, la satisfaction du besoin d'épanouissement doit donc être ajournée et, comme l'écrit Maslow, seul « l'homme en bonne santé, qui a suffisamment gratifié ses besoins de base, peut se permettre d'être motivé par le désir de réalisation de soi, c'est-à-dire par ses métamotivations »[1].

---

1. *Vers une psychologie de l'être, op. cit.*, p. 28.

En pratique, les deux processus de guérison et de réalisation de soi s'articulent de diverses manières. On peut suivre l'ordre « logique », c'est-à-dire commencer par faire une psychothérapie. Dans ce cas, à mesure que celle-ci se rapproche de son terme, le sujet mûrit un projet de développement personnel. Il arrive aussi qu'on se tourne en premier lieu vers des activités de développement personnel pour découvrir, chemin faisant, qu'on a besoin prioritairement d'une psychothérapie. Alors, le désir de développement personnel aura été le révélateur – et peut-être aussi une forme de dénégation passagère – d'un déficit affectif lié à l'insatisfaction d'un besoin de base dont le sujet n'avait pas conscience avant d'entreprendre sa formation. Cette interpénétration des processus de guérison et de réalisation de soi n'empêche cependant pas qu'ils soient, fondamentalement, de nature différente.

Ainsi, loin d'être le parent pauvre de la psychologie, le développement personnel aborde les questions les plus élevées, qui concernent le sens même de la vie. Cela le conduit à adopter une position critique à l'égard de la psychologie ordinaire. Il reproche à cette dernière de laisser de côté les questions essentielles. Aux yeux de Maslow et de ses disciples, la psychologie du XXe siècle a commis l'erreur de se polariser sur la maladie et de négliger l'étude des sujets sains. Elle s'est enfermée dans un réduit clinique, entretenant ainsi une vision tronquée de la nature humaine. Le souci de la guérison, de la restauration, a occulté la réalisation de soi. À force d'étudier les manques, les déficits, les névroses, on a méconnu l'élan vers le plus-être, le besoin de dépassement, la dynamique de l'épanouissement. En d'autres termes, l'arbre a caché la forêt.

Or n'est-il pas de la plus haute importance de s'adresser également aux êtres en bonne santé psychique ? Cette question cruciale préoccupait beaucoup Maslow. Les hommes sains aussi ont besoin qu'on les aide, qu'on les éclaire sur les conditions d'une vie « pleine ». Ils veulent connaître le secret d'une vie intense et créative.

Comment s'acquièrent la confiance en soi, l'optimisme, le bonheur ? Comment développer sa vie intérieure ? Comment les êtres exceptionnels « fonctionnent »-ils ? Peut-on construire un modèle de vie psychique efficace à partir de leurs témoignages et de l'observation de leurs comportements ? Ces exemples peuvent-ils servir à d'autres ? Telles sont les questions auxquelles le développement personnel, qui vise à découvrir les secrets de la vie excellente, tente de répondre.

CHAPITRE II
LE POTENTIEL HUMAIN

L a théorie de la personnalité sur laquelle s'appuient les démarches de développement personnel est solidaire d'une anthropologie optimiste. Maslow et les « psychologues humanistes » partagent une conception positive de la personne. Ils considèrent que les besoins humains, de base ou de développement, ne sauraient être ni mauvais, ni dangereux. Ils s'opposent donc au freudisme, pour lequel il importe de brider les pulsions afin que l'ordre humain soit préservé. Ainsi Carl Rogers, l'un des confrères de Maslow, prend-il le contre-pied de Freud en affichant une entière confiance dans la bonne nature de l'homme. « Mon expérience clinique, expliquait-il dans *Le Développement de la personne*, m'a fait découvrir que la base la plus profonde de la nature de l'homme, les couches les plus intérieures de sa personnalité, le fond de sa nature animale, tout cela est naturellement positif, fondamentalement socialisé, rationnel et dirigé vers l'avant »[1].

---

1. Dunod, 1968, p. 74.

Ce naturalisme optimiste justifie l'usage qui est fait du mot « développement » par les formateurs : il y a en chaque être un contenu à développer, lequel ne saurait être condamnable puisqu'il est de l'ordre de l'inné. L'aspiration à la réalisation de soi est inscrite dans notre nature : « L'homme manifeste une tendance naturelle à se réaliser », affirme Maslow, qui compare le processus de la réalisation de soi à un « gland qui tend à devenir chêne »[1].

Dans le même sens, Stanislav Grof, grande figure du Mouvement du potentiel humain, écrit que « la croissance de l'esprit est aussi naturelle que celle du corps »[2]. Sans doute est-il beaucoup question de « changement » dans le discours des formateurs, mais le mot ne doit pas être entendu au sens d'une discontinuité radicale. Il s'agit plutôt de rompre avec une vie routinière et amoindrie en vue de « devenir ce que l'on est », d'actualiser ses virtualités – bref, de revenir à soi.

Ce naturalisme optimiste nous conduit au concept qui joue un rôle central dans la doctrine du développement personnel : le « potentiel ». Se développer, c'est actualiser le potentiel que l'on porte en soi,

---

1. *Vers une psychologie de l'être, op. cit.*, p. 92.
2. C. et S. Grof, *À la recherche de soi*, Éditions du Rocher, 1996, p. 58.

c'est-à-dire mobiliser ses ressources propres. Les formateurs que nous avons interrogés lors de notre
enquête ont unanimement approuvé cette définition.

À cette notion de potentiel est associé le postulat
d'une autosuffisance, dont Maslow souligne qu'elle
s'applique particulièrement aux besoins de développement. Alors que la satisfaction des besoins de base
suppose, dans la majorité des cas, la présence d'autrui
– on ne peut être aimé, respecté, estimé, écouté,
reconnu que par *les autres* –, les besoins de développement, ou métamotivations, dépendent des ressources
de *l'individu*. Ils sont autosuffisants et ne réclament
pas, contrairement aux premiers, l'aliment de l'inter-
personnel, de l'intersubjectivité. Dans leur cas, la part
de l'inné l'emporte sur celle de l'environnement. En
d'autres termes, le secret de la réalisation de soi réside
en soi-même. Nous atteignons la plénitude, nous
nous épanouissons, non point en nous tournant
vers l'environnement extérieur, mais en « laissant
être » notre moi profond, en favorisant le processus
endogène de notre croissance, en exploitant nos
ressources. C'est cette confiance dans le potentiel
humain et dans l'autonomie du processus de maturation qu'exprime Maslow quand il désigne les individus en voie de réalisation du nom évocateur
d'« auto-actualisants »[1].

---

1. *Vers une psychologie de l'être, op. cit.*, p. 45.

« Le moi s'affirme puis se nie »

De quelle nature est ce potentiel ? En quoi consistent ces virtualités, ces ressources innées que nous sommes invités à exploiter ? Elles sont essentiellement d'ordre psychique : elles concernent la pensée, l'intelligence, la créativité, la mémoire, la volonté, le sens de la communication, les états non ordinaires de conscience, les affects, les valeurs, les croyances. Le principal objet des démarches du développement personnel est donc le cerveau, un cerveau présenté la plupart du temps comme un territoire à peine connu et riche de promesses. « Nous n'utilisons que dix pour cent de notre potentiel cérébral », répètent les formateurs. Ce postulat est un véritable *topos** de la littérature du développement personnel.

Pour exploiter les ressources du cerveau, il faut recourir à des techniques qui, au premier regard, déconcertent par leur nombre et leur diversité. Entrer dans le monde du développement personnel, c'est pénétrer dans un maquis d'activités aux noms étranges : PNL, analyse transactionnelle, Gestalt-thérapie, *process-communication**, training autogène*, ennéagramme*. Nous les étudierons plus en détail dans les chapitres III et IV, mais il est utile d'effectuer dès maintenant un premier repérage. Ces techniques peuvent être classées dans deux catégories distinctes. En effet, il y a deux façons antinomiques de concevoir la réalisation de soi. Il y a deux formes de croissance.

La première s'inscrit à l'intérieur de la sphère de l'ego. Elle vise à renforcer la position du moi en augmentant ses pouvoirs, en développant ses aptitudes et ses compétences. De façon significative, les Anglo-Saxons utilisent à son propos le mot *empowerment*, « accroissement de pouvoir ». Les domaines concernés par cet axe du développement personnel sont les suivants.

En premier lieu, il s'agit d'augmenter le pouvoir de la pensée sur elle-même. Pour cela, on a recours à des pratiques qui visent à dynamiser la mémoire (la méthode Silva* par exemple) et la créativité ainsi qu'à des techniques de méditation, de maîtrise des émotions, de gestion du stress. On utilise également la déprogrammation mentale, destinée à modifier les pensées spontanées, les modes de raisonnement, les croyances, les valeurs.

En deuxième lieu, il s'agit de dynamiser la personnalité globale en augmentant la confiance et l'assertivité et en développant les aspects de l'individualité qui restent inexploités dans la vie ordinaire. Une démarche comme le *process-communication* postule que nous avons une personnalité dominante, complétée par des « subpersonnalités ». Or, ces dernières, assurent les formateurs, peuvent être renforcées. On apprendra ainsi à jouer sur le clavier de ces subpersonnalités et l'on se forgera une hyperpersonnalité, à l'image d'un hypertexte qui vient renforcer un texte.

Une troisième catégorie de démarches vise à accroître le pouvoir de la pensée sur le corps. En effet, un des axiomes du développement personnel est que le mental influence les fonctions organiques. Mentionnons à cet égard les méthodes de contrôle physiologique (training autogène, *biofeedback**) et les techniques d'autoguérison par visualisation ou autoconditionnement (comme la psycho-immunologie*, fondée par le cancérologue américain Carl Simonton).

Le quatrième domaine concerne le pouvoir de la pensée sur l'environnement extérieur. À cet effet, on a recours à la pensée positive, à la visualisation créatrice*, à la gestion du temps, qui facilitent la réalisation des projets et augmentent les chances de réussite.

Le dernier groupe de démarches a pour but d'actualiser le potentiel « relationnel » : le développement personnel enseigne à gérer de façon efficace les relations interpersonnelles. Il donne des outils pour analyser les phénomènes de groupe, exercer l'autorité, accroître le *leadership** et permet de communiquer de façon fine et efficace grâce à une meilleure compréhension d'autrui. Ainsi, la PNL aiguise notre perception du fonctionnement mental de nos interlocuteurs et nous apprend à les influencer.

L'élargissement de la conscience

La seconde forme de croissance ne se place pas, comme la précédente, à l'intérieur de la sphère de l'ego, mais au-delà. Elle vise non pas à renforcer le moi, mais à le dissoudre. Son but est d'atteindre un au-delà de l'ego en effaçant la limite entre le moi et le non-moi. Le potentiel qu'elle actualise n'est pas l'affirmation de soi, mais la communion, la fusion avec le monde. Au développement qui renforce le moi et durcit le sens de l'individualité séparée s'oppose donc l'aspiration à devenir un individu « sans frontières ».

Le concept clé est ici la « non-séparation ». Alors que dans le premier type de croissance la conscience se satisfait de son isolement, dans le second elle éprouve au contraire la séparation comme une lacune et l'ego comme une prison ; elle veut répondre à l'appel de l'extérieur et mettre fin à son incarcération dans le moi. Paraphrasant une formule du philosophe Schopenhauer, nous pourrions dire qu'à l'individualité qui « s'affirme » s'oppose l'individualité qui « se nie ».

Cette tension vers l'au-delà du moi aboutit à un sentiment océanique, caractérisé par l'abolition des dualismes, des oppositions, des scissions. Dans une telle situation, le moi ne se sent plus séparé d'autrui. La frontière entre l'objet et le sujet devient indécise.

Il semble que l'on ne fasse plus qu'un avec le monde et, à mesure que la conscience « s'élargit », le sens de l'identité personnelle s'efface. Comme dans l'expérience mystique, la totalité du monde apparaît comme une unité, tandis que les repères ordinaires de l'espace et du temps s'évanouissent.

Pour arriver à un tel résultat, il faut suspendre le régime habituel de la conscience. C'est ce que l'on demande à toutes sortes de techniques inductrices d'« états modifiés de conscience » (EMC*) : l'hypnose, la respiration holotropique, la récitation de mantras*, la méditation, le *rebirth**, les hallucinogènes* et, d'une manière générale, les méthodes traditionnelles de transe* et d'extase*. Les états modifiés de conscience occupent une place considérable dans la littérature du développement personnel. Ils constituent, derechef, un point de désaccord avec la théorie freudienne et la psychiatrie. En effet, Freud considérait les EMC comme des états régressifs. La transe mystique ne possédait aucune valeur à ses yeux, sinon à titre de symptôme pathologique. La notion d'un « au-delà du moi » désignait pour lui la zone bourbeuse du ça, le cloaque des pulsions, où il est dangereux de s'aventurer. Au contraire, la doctrine du développement personnel, suivant en cela les intuitions du psychologue Carl Jung, se représente l'au-delà du moi comme une zone lumineuse. S'abandonner au sentiment océanique, se perdre dans le non-moi, accéder au soi* constitue, selon elle, non pas une régression mais, au contraire, le signe d'une réussite du processus de maturation.

Fasciné par les états de conscience élargie, de « supraconscience », le mouvement du développement personnel les considère comme l'apothéose du changement individuel, le point culminant de la réalisation de soi. Cet aboutissement est évoqué sous des noms différents par la plupart des auteurs : les psychologues de la gestalt-thérapie l'appellent le « point final » ; Wilhelm Reich le nomme « orgasme complet » ; Maslow désigne cet état du nom de *« peak expérience »* (« expérience paroxystique »). Mais l'expression la plus adéquate est peut-être celle de Stanislav Grof, psychiatre américain né à Prague en 1931, inventeur de la respiration holotropique. Grof appelle ces états modifiés de conscience des « expériences transpersonnelles* », formule qui indique explicitement que la conscience s'élargit à un au-delà du moi. Ainsi peut-on conclure que, dans sa seconde orientation, le développement personnel consiste très précisément en un « développement transpersonnel ».

Le temporel et le spirituel

Les deux modes de développement que nous venons de distinguer correspondent à deux attitudes radicalement opposées face au monde. Les activités de renforcement du moi sont orientées vers la réussite. Elles mobilisent les potentialités de l'individu pour lui permettre d'agir avec efficacité. Le but est d'obtenir des résultats : argent, succès, pouvoir, charisme, amour, guérison... Dans cette perspective, la pensée positive, la gestion du stress, le contrôle des émotions, l'amélioration de la communication, l'affirmation de soi sont autant d'outils de mobilisation de nos ressources en vue d'une plus grande maîtrise du monde.

Tout naturellement, cet axe du développement personnel a des implications économiques. On ne sera pas étonné d'apprendre que le management et le *coaching* s'y intéressent. Car, en acceptant notre condition d'êtres séparés, il légitime la conception compétitive, agonale* du monde qui est celle de l'entreprise. Aux yeux des managers, les démarches d'affirmation de soi ont l'insigne avantage de préparer les hommes au combat économique en accroissant leur énergie, leur combativité, leur « employabilité ». Elles font d'eux des agents efficaces de la production en flux tendu ; elles leur enseignent à conserver l'optimisme et la confiance malgré la précarisation de l'emploi. Elles leur apprennent à être d'habiles communicateurs dans une économie tertiarisée, voire « quaternarisée », qui repose sur les relations humaines et l'information.

Fait symptomatique, les plans de formation établis par les directions des ressources humaines comportent une part notable de ce type de développement personnel orienté vers le renforcement du moi. Le sondage que nous avons effectué auprès d'organismes de formation continue (Cegos, Dale Carnegie, Artec, Repère, Demos Formation, Systèmes et Ressources) fait apparaître qu'en moyenne la moitié des stages y sont consacrés. Les formateurs ne manquent pas de souligner le lien entre les démarches d'affirmation de soi et l'entreprise en évoquant d'un même trait le « développement personnel *et* professionnel ».

Tout autre est la croissance orientée vers le transpersonnel. Il ne s'agit plus de développer l'affirmation du moi mais, au contraire, son potentiel de dissolution. Loin d'accroître la prise sur le monde, ce type de développement encourage le « lâcher-prise ». Au lieu d'un engagement dans la lutte sociale et économique, il prône le retrait, le désengagement, le repli dans l'intériorité ; il demande au sujet de consentir à sa propre reddition. Le mode de présence au monde qu'il exalte n'est ni la compétition, ni la performance, mais le recueillement, la contemplation, l'extase. L'individu qui entreprend de développer son potentiel transpersonnel renonce ainsi à la maîtrise en échange de son absorption dans le monde. Il troque le réalisme de la réussite contre la possibilité de se relier à un autre niveau de la réalité, à un autre « plan de conscience », dans un abandon à l'infini qui, espère-t-il, lui procurera une volupté métaphysique.

À cet égard, Maslow souligne l'intense joie qui accompagne les états transpersonnels de fusion avec le monde. Les personnalités en voie de réalisation qu'il a interrogées affirment que, après avoir goûté une première fois ces « expériences culminantes », elles n'ont cessé d'essayer de les retrouver dans leur vie quotidienne. Cette joie, écrit Maslow, est devenue pour eux « l'un des buts de la vie, ce qui fait sa valeur, ce qui la justifie »[1].

Les deux formes de croissance qui caractérisent le développement personnel correspondent à deux niveaux métaphysiques distincts. L'opposition entre l'affirmation et la dissolution du moi a une portée ontologique, comme l'a montré Karlfried Graf Dürckheim dans un ouvrage qui fait autorité dans les milieux du développement personnel, *Le Centre de l'être*[2]. Catholique allemand né en 1896, initié au zen* lors d'un séjour de neuf ans au Japon, fondateur d'une méthode psychocorporelle (la *Leibtherapie)* qu'il exerça en Forêt-Noire jusqu'à sa mort, en 1988, K. G. Dürckheim est considéré comme un maître spirituel, un « sage » du monde occidental. Dans *Le Centre de l'être*, il distingue le moi existentiel, ou phénoménal, défini par son éducation, sa famille, ses rôles sociaux, et un moi fondamental, auquel il réserve le nom d'être essentiel.

1. *Vers une psychologie de l'être, op. cit.*, p. 176.
2. Albin Michel, 1992.

Selon K. G. Dürckheim, c'est ce moi fondamental que nous atteignons lors des expériences transpersonnelles. Il se dévoile alors indépendamment des catégories de causalité, d'espace ou de temps qui structurent nos perceptions ordinaires. En d'autres termes, il est de l'ordre de l'« inconditionné ». Ce moi est un absolu, par opposition au moi existentiel, qui, parce qu'il dépend de l'environnement familial et social, est relatif.

Relevons au passage cette référence à l'être. Elle montre que le développement personnel n'hésite pas à pénétrer dans un territoire métaphysique que les philosophes considèrent traditionnellement comme leur apanage exclusif. Le développement personnel dispute aux philosophes la juridiction sur l'ontologie : « L'être, ce patrimoine des philosophes, écrivait Maslow avec une nuance de provocation, pourrait devenir bientôt celui des psychologues grâce à l'étude des personnalités en voie de réalisation de soi »[1].

---

1. *Vers une psychologie de l'être, op. cit.*, p. 45.

CHAPITRE III
CROYANCES LIMITANTES ET PENSÉE POSITIVE

La question qui se pose maintenant est la suivante : puisque le potentiel est « la chose du monde la mieux partagée », pourquoi tant d'êtres humains ne parviennent-ils pas à l'actualiser ? Comment concilier le postulat d'universalité des ressources psychiques et le constat décevant de la médiocrité de la vie ? Loin d'esquiver ce problème, la doctrine du développement personnel l'aborde de front, ce qui lui fournit l'occasion d'affirmer sa confiance dans la liberté humaine. À la notion de potentiel s'articulent ainsi deux thèmes complémentaires : les croyances limitantes et le libre arbitre.

La question soulevée revient à s'interroger sur les causes du non-développement : quels sont les facteurs qui empêchent une personne d'actualiser son potentiel ? Pour clarifier notre exposé, nous limiterons d'abord la discussion à l'affirmation de soi, c'est-à-dire à la croissance dans le cadre de l'ego, et traiterons du potentiel transpersonnel dans le chapitre IV.

La non-actualisation du potentiel d'un individu place le psychologue à la croisée de deux explications antithétiques. La première consiste à chercher la cause de cet inachèvement dans l'environnement familial et social. Selon ce point de vue, l'individu est déterminé par son milieu et c'est l'action répressive que ce dernier exerce sur lui qui l'empêche de s'épanouir : sa famille étouffe ses aspirations... La bureaucratie le dépossède de sa liberté... La consommation et la médiasphère le tirent vers le bas... Ainsi raisonnent les partisans de l'explication sociologique, pour qui la misère psychologique des individus est, en dernière analyse, le signe d'une société mal conçue et pathogène. Des courants comme l'école de Francfort*, le freudo-marxisme*, l'antipsychiatrie*, la contre-culture* ont encouragé ce type d'explication en associant étroitement le thème de l'épanouissement personnel à une critique sociale radicale. Leur postulat commun est que, pour permettre aux individus de se réaliser, il faut préalablement réformer les structures sociales.

Selon la doctrine du développement personnel, les facteurs responsables de la non-croissance sont d'ordre psychologique, et non sociologique. Les obstacles à la réalisation de soi ne résident pas dans l'action exercée par le milieu social, mais en soi-même. Pour défendre ce point de vue, les auteurs et les formateurs s'appuient notamment sur l'observation des états affectifs qui prédominent chez les sujets dont la vie peut être dite « non accomplie », « non développée ». Ces états, soulignent-ils, se caractérisent par la peur ; si les individus ne parviennent pas à mobiliser leurs ressources, c'est en raison des peurs qui les travaillent – peur de s'affirmer, peur d'échouer, d'entreprendre, de dire non, de s'exposer au regard des autres, peur de ses propres émotions, de l'intimité, du corps... La peur est le principal inhibiteur du potentiel humain.

Le mental, notre ennemi ?

Ces multiples peurs renvoient à une étiologie commune : elles sont engendrées par des pensées, des cognitions*. Le concept clé est ici celui de *croyance limitante*. Ainsi, des pensées telles que « Je ne peux pas réussir », « Il faut se sacrifier aux autres », « Je ne serai jamais heureux », « Je n'ai jamais de chance », « Je suis trop timide pour entreprendre telle chose » paralysent la dynamique de la réalisation de soi. Ces croyances limitantes peuvent n'être qu'occasionnelles, auquel cas elles ne sont pas nocives. Mais il arrive aussi qu'elles soient permanentes, formant alors un bruit de fond de la vie psychique, un flux ininterrompu de pensées automatiques, un discours incessant que, sans y prendre garde, le sujet tient sur lui-même. Comme l'écrit Fritz Perls, créateur de la gestalt-thérapie, « nous sommes occupés à longueur de vie par des trains de pensées, par des armées d'occupation qui campent dans notre âme »[1]. Pour être discret et subliminal, ce discours intérieur n'en est pas moins dévastateur, car il érode la confiance en soi.

La notion de croyance limitante est empruntée à la thérapie cognitive, créée il y a trente ans, aux États-Unis, par Albert Ellis et Aaron Beck, et qui connaît un grand succès dans les milieux psychiatriques, y compris en France, où elle concurrence la psychanalyse. L'idée fondamentale qui sous-tend ce type de traitement est que les individus sont conditionnés non par les situations objectives dans lesquelles ils sont plongés, mais par la perception qu'ils en ont. Autrement dit, la représentation du réel joue un rôle plus déterminant que le réel lui-même. Or cette représentation est bien souvent tissée de pensées intrusives et automatiques, de schémas tout faits, de scénarios imaginaires, qui altèrent la vie intérieure. Ainsi ces cognitions sont-elles responsables des états de dépression et d'anxiété (phobie, timidité en public), lesquels constituent des indications majeures pour une thérapie cognitive. Celle-ci vise en effet à faire prendre conscience de ce monologue intérieur, à le soumettre à un examen critique et à le remplacer par une vision du monde plus raisonnable. Deux croyances limitantes sont particulièrement répandues :

---

1. F. Perls, *in* C. Le Scanff, *La Conscience modifiée*, Payot, 1995, p. 146.

« Pour être aimé des autres, il ne faut jamais leur dire non » et « Quand on entreprend quelque chose, le résultat doit être parfait, sinon il vaut mieux ne rien faire du tout ».

Il faut, bien entendu, se garder de faire un amalgame entre le développement personnel et la thérapie cognitive. Celle-ci constitue une branche de la psychiatrie, exercée par des praticiens hautement qualifiés. Elle élabore ses concepts avec rigueur et soumet ses démarches à des critères exigeants de validation scientifique. En outre, elle est amenée à traiter des pathologies lourdes. Elle diffère donc profondément du développement personnel. Cependant, au-delà du cadre strictement thérapeutique, l'approche cognitive sert de modèle à de multiples démarches d'accompagnement psychologique, de relation d'aide, de formation, et le développement personnel constitue, de ce point de vue, un de ses domaines d'application. Il s'apparente à la thérapie cognitive dans la mesure où il soutient que notre principal adversaire est situé à l'intérieur de nous-même. Ce sont, affirme-t-il lui aussi, nos fausses évaluations, nos distorsions cognitives, nos croyances improductives qui entravent notre épanouissement : « Notre ennemi mortel, c'est le mental »[1]. À cet égard, la plus pernicieuse de ces croyances

---

1. P. Van Eersel (dir.), *Le Livre de l'essentiel. Plus de 1 000 idées pour vivre autrement*, Albin Michel, 1995, p. 236.

n'est-elle pas, justement, d'être convaincu que l'on n'a pas de potentiel ? Cette pensée pessimiste, on en conviendra, est peu propice à une mobilisation de nos ressources...

Il est donc vain, selon le développement personnel, d'instruire le procès de la famille ou de la société. La non-réalisation de soi ne dépend pas de l'environnement, mais du film qui se déroule dans la conscience. Tout se joue dans la subjectivité. Pourtant, une objection se présente : ces pensées limitantes ne sont-elles pas le produit de l'environnement ? L'individu qui ne croit pas dans ses potentialités n'écoute-t-il pas une voix intérieure qui se contente de reproduire les jugements portés sur lui par son entourage ? S'il nourrit des doutes sur lui-même, n'est-ce pas parce qu'on a douté de lui ? Les pensées limitantes résulteraient donc d'un processus d'intériorisation, de sorte que le dernier mot appartiendrait à des facteurs exogènes. Chassé par la porte, le déterminisme environnemental reviendrait par la fenêtre...

La maîtrise de la vie intérieure

Les théoriciens du développement personnel réfutent cet argument. L'une de leurs plus audacieuses idées est que nous sommes radicalement libres, y compris face au flux des pensées limitantes qui encombrent notre vie intérieure. Nous sommes responsables de nos cognitions. Nous sommes maîtres de notre façon de penser.

Certes, ces croyances ne sont pas sans rapport avec les expériences vécues par le sujet, mais il ne s'agit pas d'une relation de cause à effet : il a bien fallu que, à un moment ou un autre, je donne mon consentement aux idées négatives. J'ai accepté, j'ai décidé de les héberger dans ma vie psychique et cette décision d'admission fut un acte de ma liberté. Mon milieu n'eût exercé aucune influence sur moi sans mon accord exprès. En ce sens, mes pensées limitantes sont l'effet du pouvoir absolu que j'exerce sur moi-même. « Dans toutes nos expériences d'enfant, écrivent les auteurs d'un manuel d'analyse transactionnelle, nous opérons un tri, nous tirons des conclusions, nous nous forgeons des croyances », et, ajoutent-ils, c'est « sur de telles décisions que repose notre vie tout entière »[1]. Cela conduit Serge Ginger, praticien de la gestalt-thérapie en France, à énoncer une maxime que n'auraient pas désavouée les philosophes stoïciens : « L'important n'est pas ce qu'on a fait de moi, mais ce que je fais moi-même de ce qu'on a fait de moi »[2].

---

1. S. Mortera et O. Nunge, *L'Analyse transactionnelle*, Morisset, 1994, p. 7.
2. S. Ginger, *La Gestalt. Une thérapie du contact*, Hommes et groupes, 1987, p. 41.

Dès lors, l'individu doit répondre de son existence. Le développement personnel érige en dogme la responsabilité individuelle illimitée. Un de ses postulats, constamment formulé, énonce que nous sommes maîtres de notre sort. Loin d'être déterminés par notre milieu, nous menons la vie que nous avons choisie, car nous commandons à nos habitudes de pensée. Il en résulte que ceux qui connaissent l'échec, qui sombrent dans la dépression, la toxicomanie ou la délinquance, ne doivent s'en prendre qu'à eux-mêmes.

Cette thèse ressemble fort à une pierre dans le champ des sciences sociales… Mais peut-être pas dans l'opinion, qui apparaît de plus en plus réceptive à ces vues. Le thème de la responsabilité personnelle ne connaît-il pas de nos jours un regain d'actualité ? Bien des signes indiquent que, en ce début de XXIe siècle, un retournement des esprits est en train de se produire. La société civile, lasse de la complaisance qui cherche des excuses aux agissements des individus, prend ses distances par rapport au sociologisme qui a régné au XXe siècle. Des voix nombreuses réclament le retour à la responsabilité scolaire, pénale, professionnelle, et les hommes politiques, conscients de cette évolution, invoquent ouvertement le principe de la « tolérance zéro ». Les idées du développement personnel sont, on le voit, dans l'air du temps…

Appliquons ces vues au problème de l'estime de soi chez les sujets confrontés à l'échec scolaire, à l'alcoolisme, à la toxicomanie ou au chômage. Selon le schéma causal classique, ces maux sont dus à des facteurs exogènes. Le sociologisme les considère comme le « résultat » de facteurs économiques, sociaux, familiaux, facteurs que l'individu est censé subir. Et, à leur tour, ces épreuves entraîneraient la perte de l'estime de soi. Or, pour le développement personnel, un tel raisonnement est erroné ; la causalité joue en sens inverse : c'est parce que les gens n'ont « pas assez d'estime pour eux-mêmes », parce qu'ils n'ont « pas le souci de leur dignité » qu'ils glissent sur la pente de la toxicomanie et de la délinquance, qu'ils échouent à l'école et ne trouvent pas de travail. Autrement dit, la non-estime de soi se situe en amont et non pas en aval de la chaîne causale ; elle est un antécédent et non un conséquent. Elle s'enracine dans un acte originaire de la liberté, dans une décision souveraine. L'image négative de soi qui conduit à mal agir ou à échouer a été forgée par le sujet lui-même, en pleine connaissance de cause. Et le développement personnel s'empresse d'ajouter : le sujet est tout aussi libre de la modifier, car l'estime de soi est quelque chose qui se restaure. Il suffit d'en prendre la décision.

La palme de l'antisociologisme revient à Anthony Robbins. Lors d'un séminaire de développement personnel aux États-Unis, ce célèbre praticien de la PNL et du chamanisme* convia un clochard devant l'auditoire. On interrogea ce dernier et l'on apprit que sa mère avait été une prostituée et que son père, alcoolique, avait été condamné pour meurtre. C'était là, assurément, un vrai cas d'école pour une pensée sociologisante, qui n'eût pas manqué de déployer la batterie des circonstances atténuantes : que restait-il d'autre à cet individu que de devenir clochard ? Mais Robbins ne l'entend pas ainsi. Il refuse cet alibi. Une seule chose l'intéresse : démonter le mécanisme mental que l'intéressé a mis en place à l'aube de sa vie face aux événements dont il était le témoin. « Comment avez-vous traité l'information venant de votre milieu ? demande-t-il en substance. Quelles conclusions l'enfant que vous étiez a-t-il tirées de ce qu'il voyait et subissait ? Quelles croyances erronées avez-vous laissé s'installer en vous ? Vous avez tiré des conclusions négatives de ce qui vous arrivait, mais il ne tenait qu'à vous d'interpréter la situation familiale d'une façon différente, ne serait-ce qu'en vous disant : "Voilà l'exemple que je ne suivrai pas" »... Verdict de Robbins : ce clochard a choisi sa déchéance.

Dès lors, la voie à suivre pour accomplir le développement personnel se dessine clairement. Elle consistera à agir non point sur le système social, mais sur la conscience. Aux sociologues qui font du changement des structures sociales un préalable à toute évolution personnelle, les formateurs rétorquent : « Changeons d'abord nos représentations. » Le *travail sur soi* est plus utile que le travail sur la réalité politique. La *restructuration cognitive* importe plus que la restructuration socio-éco-politique. À l'utopie d'une révolution sociale, le développement personnel oppose le projet d'une révolution dans le for intérieur.

C'est ce que Robbins entreprit de faire avec son hôte de passage. En une heure, assure-t-il, il aida ce clochard à changer de vision du monde. « Nous avons travaillé avec cet homme, écrit Robbins, et nous avons modifié son système de croyances [...]. Depuis lors, il a abandonné sa vie de clochard et il a cessé de se droguer. Il s'est mis à travailler et il s'est fait de nouveaux amis [...]. Ses nouvelles croyances lui ont permis d'avoir un nouveau comportement »[1].

Comment une transformation aussi rapide est-elle possible ? Comment parvient-on à se défaire de ses pensées limitantes ? À l'aide de quels outils libère-t-on le potentiel humain ? Telles sont les questions que nous allons maintenant aborder.

La pensée positive, ou l'art de mobiliser ses ressources

Restons sur le terrain de l'affirmation du moi. Les mots qui reviennent le plus fréquemment dans le discours des formateurs sont ceux de « programmation

---

1. A. Robbins, *Pouvoir illimité*, R. Laffont, 1988, p. 73.

mentale » et de « reprogrammation mentale ». Par-delà leur diversité, les méthodes d'actualisation de soi obéissent à un schéma invariable qui consiste à déprogrammer puis à reprogrammer le psychisme. Le processus se déroule en quatre étapes.

Première étape : on explore le territoire de la conscience ; on analyse sa représentation du monde extérieur et intérieur. À cet effet, la PNL, qui se présente comme une théorie de la « structure de l'expérience subjective », est très fréquemment utilisée. Sa démarche, analytique, consiste à décomposer les états de conscience en éléments simples. De quoi est fait notre film intérieur ? Comment est traitée l'information dans notre cerveau ? Quels sont les constituants élémentaires de nos sensations, de nos images mentales, de nos désirs, de nos objectifs, de nos jugements de valeur, de notre perception d'autrui ? Telles sont les questions classiques de la PNL. Prenons l'exemple d'un individu en train de se remémorer un souvenir : le formateur l'invitera à décrire avec précision l'image qui se forme sur son écran intérieur. Cette image est-elle en gros plan ? Est-elle en couleur ? Est-elle animée ou fixe ? Est-elle accompagnée de bruits, de sons ? L'analyse sera poursuivie jusqu'aux atomes de pensée et d'images (la couleur, la taille, etc.) que la PNL appelle « sous-modalités* ».

Deuxième étape : prendre conscience du fait que le sujet est maître de sa représentation et, partant, des états affectifs qui en découlent. Rien ne nous oblige, répètent les formateurs, à subir passivement le cours de notre vie intérieure. Celle-ci n'est pas un film imposé dont on serait le spectateur captif. Le courant des perceptions, pensées, images, croyances n'est pas un flux irrésistible. C'est justement le propre de la vie « non développée », amoindrie, d'être ligotée par ses représentations et de s'abandonner passivement à son spectacle intérieur. Les personnes qui fonctionnent à ce régime médiocre se sentent captives des impressions provoquées par les événements auxquels elles sont confrontées.

Mais il n'y a là aucune fatalité. On peut à tout moment récupérer son pouvoir et modifier sa façon de vivre les choses. « Vous allez apprendre à piloter votre cerveau »[1], proclame Richard Bandler, fondateur de la PNL. L'homme peut cesser d'être un moulin ouvert aux vents extérieurs, faisant accueil à n'importe quelle sensation, à n'importe quel affect. Je ne suis pas maître du monde, mais je suis du moins le maître de la représentation que j'en ai. Je peux modifier le cours de mes pensées et, partant, me mettre en condition pour ressentir ce que je veux : la confiance, la gaieté, le calme, le courage. Cette possibilité de maîtriser l'affectivité grâce au contrôle

---

1. R. Bandler, *Un cerveau pour changer*, InterÉditions, 1990, chap. I, p. 25.

des pensées est un des axiomes du développement personnel.

Au centre de la subjectivité se tient un moi ordonnateur, un régisseur qui règle le ballet des images et le déroulement des pensées. Bref, un je, celui-là même que Kant appelait le « je transcendantal* ». S'il voulait se donner une filiation philosophique, le développement personnel pourrait en effet invoquer la théorie kantienne, qui attribue un rôle capital au sujet. Le sujet, dit Kant, n'est pas un témoin passif, la conscience n'est pas une cire sur laquelle les événements déposent leur empreinte. La représentation n'est pas une copie, mais une construction. Nous la modelons, en lui imprimant les formes *a priori* de la sensibilité et de l'entendement, c'est-à-dire l'espace, le temps, la causalité. D'une certaine manière, le développement personnel reprend cette thèse du kantisme en la poussant à l'extrême, car il soutient que ces formes *a priori* n'obéissent à aucune nécessité intrinsèque. Elles ne sont pas immuables, elles ne relèvent pas d'un *a priori* transcendantal. Au contraire, elles sont le fruit d'une décision du sujet ; elles sont soumises à sa volonté. Le cadre perceptif décrit par Kant n'est qu'une possibilité parmi d'autres, un choix qu'il m'est loisible, à tout moment, de révoquer. Pour le développement personnel, l'invention perceptive est sans limites, et la meilleure preuve de cette liberté est l'existence même des états modifiés de conscience, si souvent célébrés par les porte-parole du mouvement : dans les EMC, j'invente une autre façon de percevoir l'espace, le temps ou la causalité.

« Changez vos croyances ! »

Troisième étape : soumettre à un examen critique les pensées limitantes qui encombrent notre vie intérieure. Par exemple, à une personne qui, après avoir échoué à un examen, laisse s'installer en elle des pensées négatives telles que « Je n'aurai jamais le niveau requis », « Je n'ai pas assez de mémoire », « Je perds mes moyens lors des épreuves », etc., le formateur demandera : « Qu'est-ce qui vous autorise à penser cela ? N'y a-t-il pas une façon différente, non défaitiste, d'interpréter l'échec que vous avez subi ? » Telle autre personne est freinée dans ses entreprises par une tendance au perfectionnisme. Or, loin de favoriser la réalisation de soi, l'obsession de la perfection constitue une entrave ; elle équivaut, pratiquement, à une décision en faveur du non-épanouissement. Ici, le travail consistera à mettre au jour les croyances sous-jacentes, les schémas rigides qui sont à l'œuvre chez le perfectionniste, comme : « Si je commets une erreur, les conséquences seront catastrophiques » ; ou bien : « Si j'ai la moindre défaillance, ma réputation sera irrémédiablement entachée ».

D'une manière générale, devant toute personne déprimée, angoissée, timide, solitaire, la stratégie du

formateur-thérapeute consiste à démonter le mécanisme d'auto-engendrement des états négatifs au
moyen de ce questionnement : « Comment *faites-vous*
pour être déprimé, anxieux ? À l'aide de quelles images
mentales, de quels faux raisonnements *fabriquez-vous*
le manque d'assurance, la timidité, la tristesse, la
dépression, la solitude, la peur ? » Bref, il s'agit de
désactiver les pensées limitantes, comme le recom-
mandait déjà Marc Aurèle : « Si quelque objet extérieur te chagrine, ce n'est pas lui, c'est le jugement
que tu portes sur lui qui te trouble, lit-on dans les
Pensées de l'empereur stoïcien. Il ne tient qu'à toi
d'effacer ce jugement de ton âme »[1]. Bien des simili-
tudes rapprochent d'ailleurs le développement personnel et le stoïcisme.

Quatrième étape : installer en soi des images et
des pensées « aidantes » afin de capter son potentiel.
C'est, très exactement, le rôle assigné à la *pensée posi-*
tive, qui constitue, avec les EMC, un élément essentiel du développement personnel. Penser de façon
positive consiste à se forger une représentation de
soi-même et du monde apte à mobiliser ses ressources,
et ce – est-il utile de le préciser ? – sans recourir aux
médicaments psychotropes, anxiolytiques ou antidé-
presseurs.

---

1. Marc Aurèle, *Pensées*, livre VIII, § 47, in *Les Stoïciens*, textes
réunis par J. Brun, PUF, coll. « Les Grands Textes », 1968, p. 172.

Suivons l'enchaînement des consignes de la pensée positive. L'actualisation de notre potentiel, déclare Robbins, est un « processus dynamique qui commence par une croyance »[1]. Cette croyance qu'il convient d'acquérir en premier lieu est la suivante : « Commencez par croire... que vous avez un potentiel ! » Autrement dit, pour mobiliser ses ressources, le sujet doit faire un acte de foi dans ces ressources mêmes. Ne nous hâtons pas de protester que, ce faisant, on tourne en boucle. Ces phénomènes circulaires sont habituels dans la vie psychique ; ils attestent, aux yeux des partisans de la pensée positive, la puissance de la pensée. Ainsi, en éducation, l'attente des professeurs quant à leurs élèves exerce une influence déterminante sur les performances scolaires de ces derniers, comme l'a montré, en 1968, l'expérience appelée « effet Pygmalion »[2]. Les prévisions des maîtres se sont avérées être un facteur décisif de la réussite scolaire et, plus surprenant encore, de l'amélioration du quotient intellectuel. Elles constituent donc des « prophéties autoréalisatrices ». La reprogrammation positive opère d'une manière semblable. Elle met elle aussi en œuvre une prévision de réussite, à ceci près que la prophétie n'est pas relative à autrui mais au

---

1. *Pouvoir illimité, op. cit.*, p. 77.
2. R. Rosenthal et L. Jacobson, *Pygmalion in the Classroom*, Holt, 1968.

sujet lui-même : elle repose sur l'autosuggestion et non sur l'hétérosuggestion.

Une fois la croyance de base installée, la reprogrammation se poursuit en amorçant un travail sur les projets individuels, lesquels ont souvent un caractère général, comme « Je veux réussir dans mon métier », « Je veux être heureux », « Je souhaite mener une vie riche ». Il s'agira, en premier lieu, de visualiser ces objectifs à l'aide d'images précises et entraînantes. À cette fin, le formateur invitera ses clients à décrire avec précision l'état futur auquel ils aspirent. « Que mettez-vous sous les mots de "réussite professionnelle" ou de "vie heureuse" ? », demandera-t-il et, autre question récurrente en PNL : « Comment, le moment venu, saurez-vous que vous avez atteint vos objectifs ? Que verrez-vous, qu'entendrez-vous, que ressentirez-vous quand vous aurez réussi professionnellement ou quand vous connaîtrez le bonheur ? » On découvre alors que l'image de ce futur désiré peut être visuelle, sonore, ou tactile (kinesthésique) et qu'il est possible de la modifier. Est-elle floue, grise, petite ? Apprenons à l'agrandir, à la colorier, à la rendre plus nette. Elle deviendra attrayante, lumineuse, dynamisante. Ne perdons pas de vue que le sujet est le tout-puissant scénographe de sa conscience ; il est le maître de sa vie intérieure ; comme un opérateur dans sa régie, il contrôle ses écrans intérieurs.

Ainsi améliorée, l'image de ma réussite future n'a plus qu'à être assimilée dans les fibres de mon être. Plusieurs moyens peuvent être utilisés à cet effet. D'abord, la relaxation profonde, qui, en me plongeant dans un état intermédiaire entre la veille et le sommeil, facilite l'autoconditionnement. Je peux aussi renforcer mon projet en l'étayant sur des souvenirs d'épisodes heureux de ma vie passée. Ainsi, par contiguïté, il recueillera la force des moments joyeux que j'ai vécus. C'est le procédé de l'ancrage*, couramment utilisé en PNL.

Une autre possibilité s'offre à moi quand le travail sur les objectifs a lieu au sein d'un groupe. Je peux déclarer mon objectif devant mes pairs, me liant alors par un engagement public et solennel. Ainsi, dans les formations de l'Institut Dale Carnegie, les participants formulent leur projet de changement personnel devant un auditoire de plusieurs dizaines de personnes : « Dans quatre mois, déclarent-ils chacun à leur tour, je suis ceci, je fais cela » ; par exemple, « Je suis plus performant », « J'ai trouvé du travail », « Je n'ai plus le trac en public », « J'ai créé une entreprise », « J'ai commencé à jouer d'un instrument de musique », « Je communique mieux avec mon conjoint ». L'assistance encourage les déclarants par des applaudissements. On notera les temps grammaticaux qui sont utilisés : il est interdit de parler au futur, car il faut, selon les formateurs, que ces déclarations expriment une volonté inébranlable de modifier la réalité. Tout autre temps que le présent ou le passé composé laisserait subsister en filigrane la possibilité de la non-réalisation du projet.

Les modèles d'excellence

Terminons ce chapitre en soulevant le problème de l'inégalité entre les êtres. Le développement personnel postule que les êtres humains possèdent les mêmes ressources, mais il concède que des différences les séparent. Celles-ci résulteraient de leur plus ou moins grande capacité à mobiliser leurs ressources. Or cette capacité dépend à son tour de la programmation de leur cerveau, de sorte que le dernier mot appartient à la pensée positive. Nous serions donc égaux par notre potentiel, mais inégaux de par nos croyances, notre gestion mentale, notre « communication interne ».

Dans cette perspective, le propre des êtres remarquables est, tout simplement, de savoir « piloter leur cerveau » mieux que les autres. Mais justement : il est possible, nous assure-t-on, de modéliser le fonctionnement mental de ces êtres remarquables, d'enseigner ensuite ces modèles d'excellence aux êtres ordinaires, et de rétablir ainsi l'égalité entre les individus. On le voit, il y a dans le développement personnel un curieux mélange d'admiration pour la supériorité et de volonté égalisatrice, d'aristocratisme et d'instinct démocratique. Comme le Corrège impatient de prouver sa valeur lorsqu'il contempla pour la première fois un tableau de Raphaël, l'homme du développement personnel s'exclame : « *Anch'io son'pittore !* » (« Moi aussi, je suis peintre ! »)

CHAPITRE IV
LA SPIRITUALITÉ PAR LE CORPS

Abordons maintenant le second volet du développement personnel : la spiritualité. Chaque être humain, avons-nous dit, possède un potentiel spirituel. La question est de savoir comment il peut l'actualiser. Quelles techniques doit-il utiliser ?

Le sacré, un objet d'expérience

Comme dans les démarches d'affirmation de soi, le développement de la spiritualité commence par une déclaration d'indépendance. Il écarte toute soumission à des dogmes, des Églises, des rites ; il revendique le droit à une religiosité au-delà des religions établies. L'individu, déclare-t-on, n'est pas irrévocablement conditionné par la tradition spirituelle qu'il hérite de son milieu familial et social. Il est libre de son destin spirituel. Ainsi, de même que le travail d'affirmation de soi occultait l'influence du milieu, de même le travail spirituel refuse l'allégeance à une tradition qui prétendrait fonder sa légitimité sur le seul fait qu'elle vient de nos ancêtres. Les traditions de toutes les civilisations sont à notre disposition, insiste-t-on. Il n'y a qu'à choisir parmi elles. Les formateurs, qui ne mesurent pas toujours l'antinomie profonde entre les mots « choix » et « tradition », rêvent d'un homme planétaire, transculturel, sans attache véritable, naviguant dans le patrimoine de l'humanité, faisant son miel de tout et ne craignant pas le syncrétisme.

Cet homme transculturel se réserve aussi le droit de tester les traditions. Il les passe au crible de l'utilité. Là encore, l'analogie entre la démarche spirituelle et l'affirmation de soi est frappante. Dans l'un et l'autre cas, on recommande au sujet de discuter les croyances, on le presse de rejeter celles qui ne conviennent pas : « Testez les traditions et choisissez celles qui sont bonnes pour vous »[1], pouvait-on lire naguère dans un magazine de spiritualité.

Dans sa loi des trois états, Auguste Comte opposait l'esprit théologique et l'esprit positif, qui correspondaient selon lui à des stades différents de l'histoire humaine. On ne pouvait donc pas se trouver dans l'un et l'autre à la fois. Le développement personnel entend dépasser cette antinomie vers une forme de concordisme. En proposant de tester les traditions,

---

1. *L'Autre Monde*, juillet 1992, p. 76.

de les soumettre au critère de l'utilité, il ouvre l'espace du sacré à l'expérimentation. Il introduit l'esprit positif au cœur de la théologie, le scientisme au cœur de la pratique religieuse. Un de ses leitmotive est que le surnaturel peut faire l'objet d'une expérience et, ajoute-t-il, seule une telle expérience est susceptible d'actualiser notre potentiel spirituel. La spiritualité se laisse ainsi appréhender par des procédés scientifiquement vérifiables. Plus généralement, le surnaturel se laisse saisir dans la nature, la matière, le corps, les qualités sensorielles. Il est accessible aux sens, dont K. G. Dürckheim assure qu'ils sont « source d'expérience transcendante »[1]. Le développement personnel brave donc la raison commune en refusant de définir le transcendant comme « ce qui se situe au-delà de toute expérience possible ». Bien au contraire, chacun peut le sentir ; l'être est quelque chose qui se vit. Le numineux* a un goût, une saveur, « il nous touche comme un parfum »[2], écrit K. G. Dürckheim.

Ce faisant, le développement personnel adopte sur la spiritualité un point de vue qui est plus oriental qu'occidental. En Occident, le rapport au surnaturel s'établit traditionnellement sur la base d'une révélation, laquelle résulte d'une intervention divine. C'est sur cette révélation que se fonde la foi du croyant. En

---

1. *Le Centre de l'être, op. cit.*, p. 165.
2. *Ibid.*, p. 91.

Orient, on accorde la primauté à l'expérience et cette approche directe convient parfaitement au développement personnel, qui considère la réalité transcendante non comme un article de foi, mais comme quelque chose qu'il est possible de vivre en soi-même. L'absolu se dévoile dans le sensible, c'est-à-dire dans le relatif. Mieux encore, il est présent en chacun d'entre nous. Cette conviction s'exprime dans le discours du développement personnel par une formule qui défie le principe de non-contradiction : la « transcendance immanente ».

Quels moyens vont concrètement permettre de mener à bien cette expérience ? Comment contacter l'être-au-cœur-de-soi ? La première étape consiste à mettre en condition sa conscience par un lâcher-prise radical. C'est la démarche de l'état modifié de conscience. Le mouvement du développement personnel est, à l'heure actuelle, un des plus ardents apologistes des EMC, et la réhabilitation qu'il en fait constitue, dans notre société rationaliste, une révolution culturelle. Ces EMC, assure-t-on, livrent accès à une authentique vie intérieure… On a tort de les associer à la dépendance, à la toxicomanie, aux sectes… Au contraire, soulignent leurs défenseurs, ils ont une valeur positive… Bref, de même que l'affirmation de soi passe par un travail cognitif sur les représentations de la conscience *ordinaire*, de même le progrès spirituel suppose un travail sur la conscience *non ordinaire*.

« Osons le corps »

C'est ensuite le corps qui va être mis à contribution. Loin de constituer un obstacle, ce dernier est considéré comme l'instrument privilégié de l'évolution spirituelle. Le développement personnel ne dit pas : détournons-nous de ce qui est physiologique pour atteindre le spirituel ; mais : allons jusqu'au bout du corps et l'extase nous sera donnée par surcroît. « L'organe avec lequel nous sommes capables de sentir quelque chose de l'au-delà est le corps entier »[1], écrit Dürckheim. Et il ajoute : « surtout le dos », précision que ne désavouerait probablement aucun formateur.

Empressons-nous d'ajouter que les pratiques telles que le jeûne, l'ascèse, les macérations, les mortifications sont condamnées sans réserve. Il ne s'agit pas d'utiliser le corps d'une façon négative, « réactive », comme disait Nietzsche. Il n'est pas nécessaire de souffrir dans sa chair, de contrarier les fonctions vitales, de refuser le bien-être pour s'élever au spirituel. Le développement personnel exige un corps épanoui, bien portant, ce qui, notons-le au passage, ne peut manquer de séduire l'homme contemporain. Comment ne serait-il pas attiré par cette spiritualité qui fait l'effort de se réconcilier avec la santé, le bien-être,

---

1. *Le Centre de l'être, op. cit.*, p. 184.

le plaisir ? Affranchie de la culpabilité et flirtant avec l'hédonisme, elle est en parfaite résonance avec la sensibilité actuelle.

En établissant un lien entre le corps et la spiritualité, le développement personnel s'engage, derechef, dans une voie qui s'inspire plus de l'Orient que de l'Occident. De fait, le corps est le grand oublié des religions occidentales. La culture chrétienne a toujours eu tendance à le considérer comme une entrave à l'évolution spirituelle. « Il y a antagonisme entre l'Esprit et la chair »[1], écrit saint Paul. Quel catholique, quel protestant a jamais reçu le moindre conseil relatif à la bonne posture corporelle à adopter ou à la respiration à pratiquer ? La maxime de Pascal, qui recommande de « préparer la machine »[2], ne déroge pas à la règle dans la mesure où elle relève de la contrainte, sinon de la violence, et non d'un acquiescement joyeux aux valeurs du corps.

Le corps est aussi le grand oublié de l'art de penser occidental. On l'a mis à l'écart du fait que, avec les EMC, il représente la face obscure, inconsciente de notre être, où la pensée rationnelle n'a pas droit de cité. Un philosophe occidental craindrait de paraître

---

1. Épître aux Galates, V, 17.
2. Pascal, *Pensées*, Gallimard, « Bibliothèque de la Pléiade », 1954, p. 1210.

ridicule s'il suggérait que, pour bien penser, il convient de disposer le corps comme ceci ou comme cela et de respirer de telle ou telle façon. Nietzsche fut un des seuls à briser ce tabou en se risquant sur le terrain des rapports de la pensée et de la physiologie.

Le mouvement du développement personnel entend abroger cet ostracisme du corps. À Kant qui, en homme des Lumières, lançait son fameux *Sapere aude* – « Ose te servir de ta raison » –, il réplique par une maxime tout aussi audacieuse : « Osons le corps », osons ne plus être seulement des êtres de raison…

Suivons maintenant le déroulement de ce travail corporel. Nous avons vu dans le chapitre précédent que la démarche d'affirmation de soi s'accomplissait en deux étapes successives : déprogrammation puis reprogrammation. Il en va de même ici : il convient tout d'abord de libérer le corps de ses entraves, et ce travail s'apparente à une déprogrammation ; il faudra ensuite, par des exercices appropriés, le reprogrammer pour la spiritualité.

Quelles sont les entraves corporelles à supprimer ? Les conditions de travail ? La mauvaise qualité de l'alimentation ? Les agressions sensorielles ? La médecine allopathique ? Les contraintes de la vie urbaine ? Le contrôle étatique sur la vie (la biopolitique) ? Pour importants que soient ces facteurs, le développement personnel ne les juge pas décisifs. Fidèle à son orientation antisociologiste, il minimise la responsabilité du milieu dans lequel les individus évoluent. Mieux vaut, déclare-t-il, s'occuper des chaînes que ces derniers s'infligent à eux-mêmes. L'environnement économique et politique cause en effet moins de dommages que les aliénations d'origine endogène. Si notre spiritualité reste inhibée, étouffée, c'est en raison du *mauvais usage* que nous faisons habituellement de notre corps. Ce mauvais usage se traduit par des tensions et des blocages musculaires, par une attitude crispée, un front soucieux, une démarche raide, une respiration dépourvue d'aisance. En ce sens, les formateurs n'hésitent pas à dire que les tensions corporelles renseignent avec précision sur la qualité de la vie intérieure de leurs clients. L'état de notre corps, assurent-ils, est un indicateur de notre maturité spirituelle, de notre plus ou moins grande proximité par rapport à notre être intérieur. « Lorsqu'une personne vient vous voir, écrit K. G. Dürckheim à l'adresse de ses confrères, demandez-lui de se coucher et regardez-la respirer. Par sa façon de respirer, vous reconnaîtrez immédiatement si elle est encore proche de son être essentiel ou plutôt éloignée de celui-ci »[1].

Ces tensions, ces rigidités, ces dysfonctionnements corporels constituent autant *d'erreurs de programmation*

---

1. *Le Centre de l'être, op. cit.*, p. 21.

corporelle, à l'instar des croyances erronées qui encombraient, on l'a vu, notre représentation du monde. Une fois de plus, constatons le parallélisme entre les deux formes de développement personnel : de même qu'il y avait des croyances limitantes, il y a ici des *postures limitantes*. Tandis que les premières empêchaient l'affirmation de soi, les secondes retardent l'éveil de la spiritualité. De même que le travail cognitif permet de supprimer nos croyances erronées, c'est par un travail corporel qu'on corrigera ce que Jacques Castermane, formateur et maître spirituel, disciple de K. G. Dürckheim, appelle de façon révélatrice les « fausses attitudes du corps »[1]. Remarquons qu'il ne parle pas de « mauvaises attitudes » ; il recourt à l'opposition vrai/faux et non aux dichotomies bon/mauvais ou bien/mal, indiquant par là que la question du corps doit être envisagée en dehors de tout jugement moral et de toute culpabilité.

La politique intracorporelle

Pour que le corps puisse jouer son rôle de vecteur de la spiritualité, il est impératif qu'il recouvre d'abord une entière liberté. Il s'agit donc de libérer nos muscles, notre squelette, notre cou, notre dos, notre respiration… De même qu'on s'affranchit des

---

1. *Ibid.*, p. 20.

chaînes mentales, des idées fausses, des raisonnements fallacieux par un travail cognitif, de même il faut dénouer les tensions, réduire les blocages, défaire notre « cuirasse musculaire* » (ainsi que l'appelait Wilhelm Reich). De façon significative, on multiplie les consignes de relaxation dans les stages de développement personnel. On apprend littéralement aux clients à respirer, à se tenir droit, à bouger, à marcher… On leur enseigne à « rétablir la libre circulation de l'énergie dans le corps ». Les formateurs, qui affectionnent la culture orientale, expriment cela par des consignes qui sont autant de signes distinctifs, de « marqueurs » de la pensée du développement personnel : « Ouvrez, débloquez vos chakras* », « Libérez votre qi* (ou tchi) », « Laissez aller l'énergie dans votre hara* ».

Tout se passe comme si le corps constituait un espace politique. Le domaine somatique devient le lieu d'une révolution émancipatrice, qui reproduit le schéma des révolutions politiques et qui en reprend la terminologie, tout en l'intériorisant. Les différentes parties du corps apparaissent comme des sujets soumis au joug d'un pouvoir central, lequel doit être combattu avec vigueur. « Laisse ton cou décontracté », dit-on aux clients, « Ton diaphragme commence à se débloquer », « Laisse aller ta respiration », etc. : chacune de ces consignes est une revendication adressée à un moi central faisant figure de monarque contraint d'abdiquer son pouvoir. Peu à peu, le moi desserre son emprise sur le corps, il abroge ses titres de propriété, et la révolution sera accomplie quand il aura accepté de renoncer à l'avoir au profit de l'être. Alors, ce moi monarchique ne possédera plus son corps ; il le vivra, ce qui est différent. Le processus d'émancipation parvient en effet à son terme quand on est capable de dire : « Je *n'ai* plus un corps ; je *suis* mon corps. »

Le mot même de « relaxation » est révélateur à cet égard. On relaxe le corps comme on relâche un prisonnier. Dans le développement personnel, le corps fonctionne donc comme une scène où se jouerait la dramaturgie d'une émancipation politique. De même qu'il exerce une politique intrapsychique, le développement personnel met en œuvre une politique intracorporelle qui, elle aussi, tourne le dos à la politique réelle.

Une fois terminé, ce travail de déprogrammation va laisser la place à des exercices de reprogrammation spirituelle. Au premier regard, ceux-ci déconcertent l'observateur en raison de leur nombre et de leur diversité, mais il semble possible de les classer en trois catégories.

En premier lieu, on trouve les exercices d'immobilité qui conduisent à l'extase. Ils reposent sur la maîtrise de la posture, le calme de la respiration, le silence. Citons l'assise en silence*, le yoga*, la méditation, la contemplation.

Une deuxième gamme d'exercices prend appui sur le « geste juste », parfaitement contrôlé et ritualisé. « Le geste simple, pur, juste, sans cesse répété, transforme la personne qui le fait »[1], écrit K. G. Dürckheim. Ces gestes, qui ont la vertu de nous ouvrir à notre être intérieur, sont d'abord ceux qu'enseignent les arts martiaux*, la cérémonie du thé* – où il s'agit de prendre les objets avec exactitude – et le tai-chi* – où l'on se déplace d'une façon codifiée. Ce peuvent être aussi les gestes ordinaires de la vie quotidienne, pourvu qu'on les accomplisse d'une façon cérémonieuse, vigilante, recueillie, en s'appliquant à « être là » dans chacun d'eux. Ils acquièrent alors, assurent les formateurs, une valeur transformatrice, à l'instar des mudras*, gestes sacrés de certaines traditions religieuses. Ainsi, on trouve dans *Le Centre de l'être* de Dürckheim des indications sur l'usage spirituel que l'on peut avoir des actions les plus banales, « monter un escalier », « marcher de la cuisine à la salle à manger », « prendre en main un objet et l'utiliser », « arroser une plante ».

Le troisième groupe réunit les activités d'agitation et de décharge émotionnelle qui se déroulent en groupe, dans une ambiance sonore et bruyante. À l'inverse de

---

1. *Le Centre de l'être, op. cit.*, p. 21.

l'extase, qui demande silence, immobilité et solitude, elles aboutissent à un état de transe et s'inspirent largement du chamanisme. Citons la danse, les battements de tambours, le chant, la transe érotique.

Les nouveaux alchimistes

En ce point, nous sommes confrontés à la question suivante : d'où ces exercices tiennent-ils le pouvoir spirituel qu'on leur attribue ? Comment de simples actions peuvent-elles servir de support à une expérience de l'être ? Pour expliquer ce phénomène, deux métaphores vont nous éclairer.

La première est celle de l'inversion. Le sujet pratiquera l'un de ces exercices jusqu'à un point de renversement, de basculement où, de l'aveu des formateurs, il se sentira brusquement envahi par la sensation non plus d'agir, mais d'« être agi ». Dans l'extase ou la transe, il vient en effet un moment où l'on n'est plus le sujet de son action, mais son objet. Tout en continuant l'exercice, on devient passif. On ne respire plus, « on est respiré » ; on ne danse plus, « on est dansé »[1], pour reprendre les expressions suggestives de Richard Moss, grande figure du développement personnel aux États-Unis. Moss souligne la valeur

---

1. R. Moss, *Papillon noir : invitation à un changement radical*, Souffle d'or, 1989, p. 56.

transformatrice de cette expérience d'inversion. L'exercice n'est plus alors quelque chose que *je* fais, mais qui *me* fait. Le chant me chante, la respiration me respire, la vie me vit… J'ai atteint la pointe extrême du lâcherprise, une zone brumeuse où, grâce à ces exercices parfaitement contrôlés, ma conscience, elle, devient incontrôlée. Dans cet état psychique modifié, l'identité du moi agissant, pensant, regardant devient indécise. Si je suis absorbé dans la contemplation d'une rose, je ne saurai plus distinguer « mon œil qui regarde la rose et l'œil de la rose qui me regarde, car ils ne font plus qu'un »[1], écrit K. G. Dürckheim, à la suite de maître Eckhart. Mon moi entre en fusion avec le monde ; il est dissous dans le transpersonnel.

La seconde métaphore à laquelle nous pouvons recourir pour expliquer le passage du corporel au spirituel est celle de la sublimation. En physique, on appelle sublimation le passage direct d'un corps de l'état solide à l'état gazeux. C'est, en un sens, ce qui se produit dans les exercices d'extase, de transe et de geste juste, lorsque le sujet, oubliant qu'il est fait de chair, éprouve à un moment donné la confuse sensation d'être une pure énergie. Ainsi, la danse et le chant que Richard Moss fait pratiquer dans ses stages ont la propriété, assure-t-il, de « libérer l'énergie cristallisée en soi-même ».

---

1. *Le Centre de l'être, op. cit.*, p. 94.

La sensation de dématérialisation devient complète quand on vit cette énergie, à son tour, comme une pure conscience. « Pendant un court instant, écrit Moss à propos d'une de ses clientes, elle s'éprouva comme de la pure conscience. » Et, ajoute-t-il, cet événement la « transforma »[1]. Cette sublimation de l'exercice corporel en vécu spirituel représente, aux yeux des formateurs, l'apothéose de la réalisation de soi. Symptomatiquement, Moss qualifie cette phase du développement personnel de « changement radical » *(radical change)*. Tout se passe comme si la maturation spirituelle atteignait son apogée quand on a déroulé intégralement la triade matière → énergie → conscience.

Tel est, si l'on peut dire, le grand œuvre du développement personnel. L'ardeur avec laquelle les formateurs et leurs clients guettent les mutations successives de la triade matière → énergie → conscience n'a d'égale, en effet, que la passion des alchimistes. Comme ceux-ci, ils utilisent des techniques adossées à une conception de la nature qui est un des piliers de leur philosophie. Du reste, les formateurs ne manquent pas de souligner la dimension métaphysique de leurs exercices : « Tout est conscience », déclarent-ils, dans une profession de foi spiritualiste.

---

1. *Ibid.*, p. 60.

Nous sommes maintenant en mesure de comprendre pourquoi le développement personnel recommande avec insistance la voie du corps. En vérité, il faut entrer dans le corps pour mieux s'en évader, pour prouver d'une façon plus éclatante qu'il n'est qu'énergie et conscience. La voie du corps est la voie royale, car elle permet aux individus de vivre, dans les fibres de leur être, la dialectique de l'incorporation et de la décorporation, de l'incarnation et de la spiritualisation. Le corps est la clé d'une complète réalisation de soi, le sésame-ouvre-toi des fameuses « expériences culminantes » tant vantées par Abraham Maslow et dont la signification profonde se dévoile maintenant à nous. Qu'est-ce qu'une expérience culminante ? C'est une épiphanie de l'esprit dans la matière, une apparition – au sens surnaturel – de la transcendance dans l'immanence. L'expérience culminante parachève l'actualisation de notre potentiel religieux, la réalisation de notre vocation spirituelle : celle-ci ne consiste pas à atteindre une réalité supérieure, distincte de soi-même, séparée, transcendante. Elle n'est pas destinée à nous arracher à nous-même et à nous conduire vers un dieu éloigné. Au contraire, elle nous fait entrer en nous-même, pour goûter la saveur de l'être.

LE DÉVELOPPEMENT PERSONNEL
EN QUESTION

CHAPITRE V
LES THÈMES IDÉOLOGIQUES

L e développement personnel se définit comme l'actualisation de notre potentiel psychique, notion qui recouvre aussi bien les fonctions cognitives et affectives que la spiritualité et la parapsychologie. Pour réaliser cet objectif, il applique des méthodes de déprogrammation et de reprogrammation. Mais il n'est pas seulement une démarche de changement psychologique, il a aussi une portée idéologique, dans la mesure où il véhicule une représentation du monde et une philosophie de l'homme. Ce sont ces thèmes idéologiques que nous allons maintenant aborder.

L'homme, machine multimédia

Un des thèmes qui reviennent le plus souvent concerne la nature de la vie psychique, que la plupart des auteurs assimilent à un ordinateur. Ainsi, le postulat selon lequel les hommes possèdent le même potentiel est traduit dans les termes suivants : nous sommes tous équipés d'un ordinateur de même nature, présentant les mêmes caractéristiques de processeur, de vitesse, de mémoire. L'inégalité entre les individus, qui réside non dans les ressources, mais dans la capacité à les mobiliser, provient du fait que certains d'entre eux ont installé un meilleur logiciel d'exploitation que les autres. Ils ont mis plus de soin à programmer leur cerveau par la pensée positive. Le *hardware* est donc identique pour tous, mais le *software* est plus ou moins performant, et l'inégalité des individus résulte de cette différence de logiciel.

À cette référence informatique est associée une métaphore qui constitue elle aussi un *topos* du discours des formateurs et des théoriciens : celle du « film », de la « mise en scène », de la « bande vidéo », de l'« écran intérieur ». Le psychisme n'est pas seulement un ordinateur ; il est aussi un centre vidéo. Il tient à la fois de la machine logique et de la lanterne magique. La vie intérieure s'organise conjointement selon les règles du logiciel et du scénario filmique.

On est donc en présence d'un double paradigme*, informatique et audiovisuel, de sorte que la comparaison qui rend compte le plus adéquatement de la nature du cerveau est celle de l'outil multimédia. Il y a deux cent cinquante ans, le philosophe matérialiste La Mettrie écrivait *L'Homme-machine*. Le développement personnel en propose aujourd'hui une version actualisée : nous sommes, dit-il, des machines multimédias.

Au demeurant, cette version diffère sur un point capital de l'ancienne. En effet, contrairement à La Mettrie, le développement personnel rejette le déterminisme mécaniste ; notre machine multimédia, souligne-t-il, est aux mains d'un être libre. De même qu'un metteur en scène dispose de son film, qu'un programmeur commande à son logiciel, de même l'homme est maître de sa vie intérieure. Rien ne lui est plus facile que de modifier des lignes de programmes ou de régler, depuis sa cabine de régie, le ballet des pensées, des croyances, des images mentales, pour produire les états affectifs désirés, tels que l'optimisme, la confiance, l'euphorie.

Ce double paradigme informatique et audiovisuel marque une rupture avec le modèle mécanique et énergétique qui considérait traditionnellement la vie psychologique comme un jeu de forces opposées. Selon ce dernier modèle, la vie psychique est comparable à une chaudière sous pression, avec des désirs qui se heurtent à la puissance des interdits, des obstacles sociaux et moraux qui empêchent la décharge des pulsions ou l'expression des émotions, des tendances antagonistes qui entrent en conflit. Il s'ensuit que l'intervention psychologique revêt elle aussi un caractère mécanique et énergétique : elle vise à desserrer des contraintes, à abattre des résistances, à offrir des exutoires aux affects, à libérer l'énergie refoulée.

Dans le modèle informatique et audiovisuel, au contraire, on raisonne en termes de « cognitions ». La non-réalisation de soi est considérée comme le résultat d'un mauvais traitement de l'information et non d'un jeu de forces. À la notion de contrainte se substitue celle d'erreur. L'intervention du formateur-thérapeute vise, par conséquent, non à briser des résistances ou à libérer une énergie, mais à amener le sujet à modifier le programme de ses représentations. Alors que le premier modèle reste tributaire de l'ancienne révolution industrielle fondée sur la maîtrise de l'énergie, le second reflète la révolution industrielle de l'information et de la communication.

D'un paradigme à l'autre

Il est intéressant de remarquer que, à ses débuts, le mouvement du développement personnel a subi l'influence du premier modèle. Le paradigme informatique et audiovisuel n'était en effet guère présent à l'origine. Les témoignages de thérapeutes que nous avons recueillis indiquent que, au cours des années 1970, les techniques de décharge émotionnelle et pulsionnelle, notamment la bioénergie d'Alexander Lowen et le cri primal* d'Arthur Janov, étaient très en vogue. Or ces méthodes relèvent du modèle mécanique et énergétique. Elles préconisent un travail sur le corps qui s'inscrit dans le droit fil de la théorie de Wilhelm Reich, dissident du freudisme, pour qui les émotions refoulées par l'enfant – colère, ressentiment, angoisse – sont responsables de raideurs et de blocages corporels (la « cuirasse musculaire »), dont seule une catharsis*, fondée sur les mouvements déchaînés, les cris, les pleurs, permettrait de se défaire.

C'est au milieu des années 1980 que le développement personnel a changé de paradigme. Il a tourné le dos à la libération énergétique au profit d'une intervention sur les programmes, les représentations ; il a concentré l'intervention psychologique sur les croyances limitantes et les croyances aidantes. Ce faisant, il s'est aligné sur les démarches développées par la thérapie cognitive, alors en plein essor.

Ce changement de paradigme a eu pour résultat de détourner complètement le développement personnel de la voie sociologique. En effet, il est clair que, tant que l'on pose les problèmes psychologiques en termes mécaniques et énergétiques, on est amené, de proche en proche, à dérouler tout l'écheveau de la société. L'argumentation suit alors, inévitablement, le chemin suivant : les contraintes internes pesant sur le sujet, les obstacles à son désir sont la conséquence de forces extérieures qui ont été internalisées au cours du processus de socialisation... Le surmoi résulte de l'intériorisation des interdits familiaux et sociaux...

Le face-à-face du désir et du surmoi traduit l'opposition entre l'individu et la société... Par conséquent, c'est contre cette dernière qu'il faut se dresser pour libérer l'individu... Avec une logique implacable, le raisonnement énergétique/mécanique aboutit ainsi à une mise en cause de la société tout entière. Il subordonne la réalisation de soi à la réforme du système social. Pensons, à cet égard, aux implications d'un ouvrage comme *Malaise dans la civilisation* de Freud, qui fournit au lecteur des motifs de révolte contre la société (même si ce n'était pas l'intention de son auteur), et, *a fortiori*, à la théorie de Reich, qui incite ouvertement à la révolution.

En se limitant au travail sur les représentations et les croyances, le développement personnel a donc fait un choix décisif. Il a rendu inutile la mise en cause de la structure sociale, de sorte que la contestation du système a cessé d'être un passage obligé vers la réalisation de soi. Ainsi peut-on dire que l'abandon dans les années 1980 du paradigme mécanique/énergétique au profit du modèle informatique/audiovisuel a scellé l'orientation antisociologique du développement personnel.

La conception de la vie psychique comme machine multimédia est par ailleurs solidaire d'une thèse sur les rapports de la pensée et de la réalité extérieure : le développement personnel envisage cette relation selon une perspective spiritualiste. Faisons la synthèse des idées que l'on trouve sous une forme éparse dans la littérature.

Au point de départ est formulé le principe selon lequel l'homme façonne à son gré images, pensées, sensations et croyances. Sa représentation du monde, répète-t-on inlassablement, est à son entière discrétion. Qui plus est, le monde lui-même découle des actes de représentation, de sorte qu'au relativisme subjectiviste vient s'ajouter une thèse idéaliste que les formateurs aiment à énoncer en ces termes : « Le monde vous déplaît ? Changez vos concepts. » La causalité s'établit donc dans le sens inverse de ce que suppose le matérialisme : alors que ce dernier considère la conscience comme un reflet du monde extérieur, le développement personnel déclare que les représentations façonnent le monde. Les croyances sont, au sens fort du terme, créatrices, de sorte que le réel est un épiphénomène de la conscience, et non l'inverse, comme l'indique le titre en forme d'impératif du livre de Richard Khaitzine, *Transformez vos désirs en réalité*[1]. Dans les ouvrages de pensée positive, de training autogène, de visualisation créatrice, d'autoguérison, etc., ce thème d'une toute-puissance de la pensée sur le réel revient comme un leitmotiv.

---

1. Pocket, 1990.

La tentation spiritualiste

De là, on glisse vers une ontologie spiritualiste. Car ce monde qui est produit par la conscience *est* aussi de la conscience. La réalité n'est pas faite de force et de matière, mais de perceptions, de croyances, de rêves, d'images mentales. Elle est tissée de conscience ; elle a la même consistance qu'un reflet. Ainsi Patrick Drouot, praticien renommé de la régression dans les vies antérieures*, n'hésite pas à écrire que « le monde dans lequel nous vivons n'est que le reflet tangible de l'état de conscience dans lequel nous nous trouvons »[1], affirmation qui évoque le fameux « être, c'est être perçu » de George Berkeley, philosophe idéaliste du XVIIIᵉ siècle.

L'ontologie spiritualiste entraîne à sa suite toute une conception de la société, qui donne la dernière touche à ce que nous avons déjà identifié comme un anti-sociologisme radical. Le développement personnel propose en effet une sociologie spiritualiste, qui se manifeste par une propension à poser les problèmes sociaux en termes exclusivement psychologiques. Même quand il s'occupe de l'extériorité sociale, il ne quitte pas l'enceinte de la subjectivité. S'il évoque le salariat, l'« horreur économique », l'exclusion, c'est

---

1. P. Drouot, préface à C. et S. Grof, *À la recherche de soi, op. cit.*, p. 6.

pour ne retenir que la manière dont ces réalités sont vécues par les individus. Les rapports entre les acteurs sociaux sont appréhendés à travers la catégorie du « relationnel » et les phénomènes de rivalité et de domination sont analysés comme des « scénarios », des « jeux », à l'instar de l'analyse transactionnelle. Les oppressions extérieures cèdent le pas aux tyrannies mentales, au harcèlement moral. Plutôt que d'aliénation et d'exploitation, on parlera de la peur, de la dépendance et des addictions – à la drogue, à l'alcool, à la surconsommation, au sexe, à la télévision. On le voit, tout est transféré dans le champ psychologique. À l'instar de l'ensemble de la réalité objective, la société est soumise à un processus de désubstantialisation.

Significative à cet égard est la place qu'occupe la notion de stress dans le discours du développement personnel. Car, s'il est indéniable que le stress est lié à des conditions objectives, son étiologie renvoie à des facteurs internes. L'état de stress dépend en effet de causes subjectives, comme le rappelle Christine Le Scanff : « Il y a stress quand le sujet *estime* que ses ressources sont insuffisantes pour faire face à la situation telle qu'il l'*évalue* en fonction de caractéristiques qui lui sont propres et en particulier de son affectivité et de son anxiété »[1]. Il n'y a donc pas de relation

---

1. C. Le Scanff, *La Conscience modifiée, op. cit.*, p. 210. C'est nous qui soulignons.

directe de cause à effet entre l'agent potentiel de stress et la manifestation du stress. Tandis que l'exploitation et l'exclusion renvoient à l'objectivité des rapports sociaux, la notion de stress intériorise les problèmes, et c'est parce qu'elle tend à ramener ainsi l'objectif au subjectif que le développement personnel en a fait un concept emblématique.

Un même processus de désubstantialisation affecte la problématique du mal. D'une manière générale, le développement personnel évacue l'idée d'un mal objectif. De même que les rapports sociaux se dissolvent dans le relationnel, la réalité du mal se ramène à nos multiples « pensées négatives » : elle se dématérialise. Au révolutionnaire qui s'élève contre l'injustice, la violence, la misère, le développement personnel rétorque que le mal réside dans la « mauvaise relation à soi-même », dans les croyances paralysantes, dans les « jeux » et les « scénarios » qui nous emprisonnent.

Ainsi, le cercle se referme. Dans la première partie de ce livre, nous avons vu que le développement personnel partait en guerre contre le sociologisme en affirmant que l'individu n'est pas soumis aux déterminismes de son milieu. Nous voyons maintenant l'aboutissement de cette démarche. C'est non seulement l'influence de la société, mais sa réalité même qui est niée. Le corps politique, les structures socio-économiques sont désintégrés par la psychologisation. À l'image de tout l'existant, la société semble n'être plus qu'une entité virtuelle. Il en résulte un relativisme subjectiviste que résume très bien cette sentence de Robbins : « Rien n'est en soi bon ou mauvais dans ce monde. Il n'y a que des représentations positives ou négatives »[1]. Un tel relativisme, qui ôte sa raison d'être au combat pour changer les structures sociales, risque de conduire à l'indifférentisme politique.

La religion de Faust

Penchons-nous à présent sur les thèmes à résonance religieuse qui imprègnent profondément le discours du développement personnel. Les deux types de croissance que nous avons distingués sont séparés par une frontière que recoupe exactement l'antinomie du profane et du sacré : tandis que le renforcement du moi ouvre le chemin de la réussite temporelle, la dissolution du moi donne la clé du domaine spirituel. Car c'est bien de spiritualité qu'il s'agit dans les démarches du second type. Qu'est-ce que le transpersonnel sinon une façon laïcisée de nommer l'expérience religieuse ou mystique ? Il correspond à ce qui est appelé nirvana* dans le bouddhisme, samadhi* dans le yoga, satori* dans le zen, extase et béatitude chez les mystiques chrétiens, transe dans le chamanisme.

---

1. *Pouvoir illimité, op. cit.*, p. 286.

Le développement transpersonnel participe donc du retour actuel du religieux. Plus encore, il contribue à le façonner en lui imprimant une double orientation. Tout d'abord, il réhabilite les EMC, qui sont promus au rang d'expérience spirituelle à part entière. Les formateurs refusent de souscrire au réductionnisme psychiatrique, qui classe les états de conscience mystique parmi les pathologies mentales. Ils affirment avec force que la spiritualité n'est pas de l'ordre de la foi ou de la croyance, mais qu'elle relève d'une *expérience* et, à leurs yeux, l'EMC constitue l'expérience la plus authentique qu'on puisse souhaiter. Ce faisant, ils indiquent le chemin d'une religion vécue, à l'écart des dogmes et des Églises établies.

Le deuxième trait que le courant du développement personnel imprime à la religiosité découle du postulat selon lequel la spiritualité manifeste notre potentiel. Ainsi, selon Stanislav Grof, le « potentiel spirituel » est universel et inné. Le transpersonnel est une aptitude, une ressource que l'on possède, une compétence naturelle. C'est un germe, explique Grof, qu'il suffit d'épanouir pour accéder à la vie religieuse. Le domaine du spirituel n'est pas quelque chose de séparé, d'éloigné. Il ne constitue pas un « autre monde » inaccessible. Il est en nous, comme une virtualité. Le surnaturel est de l'ordre de la nature.

Cette conception de la spiritualité se situe aux antipodes de la vision pascalienne de la condition humaine. Pour Pascal, l'homme est abandonné à lui-même ; il est misérable sans Dieu. Ici, au contraire, l'être humain jouit d'une complète autosuffisance. « La spiritualité est un potentiel qui ne demande qu'à fructifier, dit-on aux adeptes. Travaillez sur vous-même, élargissez votre conscience et vous atteindrez l'absolu »[1]. À ce thème religieux s'articule donc étroitement l'idée d'une toute-puissance. Il y a, dans le développement personnel, un véritable tropisme vers la surhumanité, tropisme qui, soulignons-le, est commun aux deux formes de la croissance. Les démarches d'affirmation du moi et de dissolution dans le transpersonnel se rejoignent dans le même rêve d'un cerveau porté au maximum de ses capacités ; elles partagent une même obsession de la puissance. Elles forment un tableau dont les lignes de fuite convergent vers un centre unique où se dessine la silhouette de Faust.

Ainsi, il y a quelque chose de faustien dans le projet de la PNL, dont un des livres phares, dû à Anthony Robbins, porte ce titre révélateur, *Pouvoir illimité*. La PNL se définit comme « l'art et la science de l'excellence personnelle et professionnelle ». Refusant le pathos du génie, elle se veut pragmatique et volontariste. Comment, demande-t-elle, peut-on atteindre l'excellence ? Comment devient-on un communicateur hors pair, un médecin de talent, un père ou une mère admirables,

---

1. C. et S. Grof, *À la recherche de soi, op. cit.*, p. 11.

un homme d'affaires performant, un sportif de haut niveau ? « Tout le monde a les mêmes ressources, insiste Robbins, et la réussite peut être reproduite. Si quelqu'un est capable d'une chose, vous en êtes capable vous aussi »[1]. L'objet de la PNL est donc, à partir de l'observation minutieuse des spécimens d'humanité « supérieure », d'élaborer des modèles d'excellence. Chacun pourra ensuite appliquer ces modèles dans sa propre vie ; tout être humain, assure-t-on, a la possibilité de parvenir au sommet, dans quelque domaine que ce soit.

Cet esprit faustien conduit aussi le mouvement du développement personnel dans les parages de l'irrationnel. L'une des surprises que nous a réservées notre enquête a été de découvrir que les formateurs et leurs clients flirtent en permanence avec le paranormal. Michael Murphy, l'un des fondateurs du Mouvement du potentiel humain dans les années 1960, a écrit en 1992 un ouvrage dans lequel il soutient que les facultés parapsychologiques sont latentes en chaque individu[2]. Selon lui, la télépathie*, la perception extrasensorielle, la prémonition, la médiumnité* sont des pouvoirs inscrits dans la nature humaine, et

---

1. *Pouvoir illimité, op. cit.*, p. 46.
2. M. Murphy, *The Future of the Body. Explorations into the Further Evolution of Human Nature*, Los Angeles, Tarcher/Putman, 1992.

il affirme que le moment est venu pour tous d'actualiser ce potentiel paranormal. L'humanité, assure Murphy, se trouve au seuil d'une étape nouvelle et décisive de son évolution : nous entrons dans un « Nouvel Âge », un « Âge de la conscience », qui sera caractérisé par le développement de nos capacités parapsychologiques. De même que, à l'aube de la préhistoire, l'acquisition de la station verticale et de la marche bipède par les premiers hominidés a déclenché le développement de nos fonctions sensori-motrices et cognitives, de même le IIIe millénaire connaîtra l'essor du paranormal et de la supraconscience.

De là aussi l'écho que, dans la littérature du développement personnel, recueillent les phénomènes d'extracorporéité, de sortie hors du corps, de voyage astral* et d'expériences au seuil de la mort (NDE*, *Near Death Experiences*). Ces phénomènes fascinent, car ils alimentent l'espoir d'une indépendance radicale de l'âme par rapport au corps. Au rêve de la surhumanité s'ajoute celui de l'immortalité…

La culture de l'illimité

Cette obsession de la puissance reflète bien l'esprit de notre temps. Le développement personnel est en parfaite résonance avec la *culture de l'illimité* qui se répand de nos jours, et qui est illustrée par l'exploit sportif, le dopage, les prouesses scientifiques ou médicales, le souci de la forme physique, le désir de longévité, la drogue, la croyance dans la réincarnation.

Mieux : il constitue le fer de lance de cette culture, en raison de l'ambition qui l'anime de cultiver l'extrême dans deux domaines antinomiques. L'originalité du développement personnel est en effet de proposer un double accomplissement, à travers l'affirmation du moi et la négation du moi. Plus faustien que Faust, il promet à la fois le succès matériel et l'évolution spirituelle, la réussite et la profondeur de l'intériorité. Sans doute ces deux formes d'épanouissement ont-elles été convoitées et pratiquées dans le passé, mais toujours séparément. Nul ne pouvait, raisonnablement, prétendre les réunir : succès temporel ou épanouissement spirituel, il fallait choisir. La particularité du développement personnel réside au contraire dans la tentation de poursuivre, avec un appétit de vie démesuré, ces deux vocations à la fois. Il veut jouir des deux états du moi, convaincu qu'ils entretiennent une relation synergique à laquelle l'individu a tout à gagner. Ainsi, l'un des arguments favoris de la méditation transcendantale est que la conscience modifiée a la vertu de fertiliser la conscience ordinaire. Les états de conscience cosmique, assurent les pratiquants de cette technique, renforcent l'efficacité de l'action et l'on sera d'autant plus performant dans l'arène du monde que l'on pourra, à intervalles réguliers, lâcher prise et se retirer dans le transpersonnel.

Insistons sur le fait que le développement personnel conçoit son double objectif non pas comme une alternative déchirante, mais comme un harmonieux dualisme. Il ne s'agit pas de choisir, de se diviser, mais de jouir avec aisance de la double modalité de notre être, du double potentiel de notre nature. L'homme du développement personnel veut disposer en permanence des deux claviers et parcourir librement la gamme de ses identités à géométrie variable. Il entend naviguer d'un terme à l'autre sans obstacle : il se réserve la possibilité de passer à tout instant du personnel au transpersonnel, du moi au soi impersonnel, du « je pense » cartésien aux EMC, par un simple jeu de bascule. Il veut garder la maîtrise de son environnement tout en « habitant le monde en poète »[1], suivant l'expression du poète allemand Friedrich Hölderlin. Ce va-et-vient, cette navigation aller-retour sont ceux d'un homme qui, au fond, demande tout à la vie.

Le jeu sur les états du moi constitue également une synthèse entre l'Orient et l'Occident. À l'Orient, le développement personnel demande le secret du dépassement de l'ego. De l'Occident, au contraire, il hérite un sens aigu de l'individualité séparée. Cette alliance de la conscience élargie et du « cogito* » situe le mouvement dans une zone culturellement hybride,

---

1. F. Hölderlin, « En bleu adorable... », in *Œuvres*, Gallimard, « Bibliothèque de la Pléiade », 1966, p. 939.

occidentalo-orientale. Soulignons le fait que l'orientalisation du mouvement est tempérée par un attachement indéfectible aux valeurs occidentales. Si appuyée soit-elle, la référence à l'Orient s'accompagne en effet d'une restriction : l'homme du développement personnel n'est pas prêt à admettre, à l'instar de l'hindouiste par exemple, que le moi est une pure et simple illusion. S'il expérimente l'un et le transpersonnel, c'est à la condition que soit préservé le statut de la personne. Fasciné par la dissolution mystique, il se réserve la possibilité de revenir à tout moment à l'ego. Bref, il n'oublie jamais que son potentiel est à la fois transpersonnel et personnel *stricto sensu*.

Le yogi et l'homme d'affaires

L'aspiration à la toute-puissance, le goût du syncrétisme, la pratique des deux états du moi cristallisent dans la figure pittoresque et de plus en plus répandue du cadre d'entreprise qui, entre deux rendez-vous d'affaires, trouve le temps de pratiquer le zen ou la méditation transcendantale. Assurément, ce tableau prête à sourire, mais il mérite de retenir notre attention, car il traduit une profonde tendance sociologique. Ainsi, dans un prospectus annonçant un « stage de développement personnel dans le désert marocain », le formateur responsable se présente à la fois comme « thérapeute, professeur de yoga et homme d'affaires ». Dans le même sens, la secte Méditation transcendantale a créé aux États-Unis une université de management (l'université ouverte Maharishi).

Le lecteur objectera que cette imbrication de valeurs économiques et spirituelles n'est, après tout, pas nouvelle. N'a-t-elle pas été réalisée par le protestantisme au XVIe siècle ? Certes, mais dans l'éthique protestante, comme le rappelait le sociologue Max Weber, le spirituel et le temporel étaient reliés par un troisième terme, qui était Dieu lui-même. Dieu assurait la réunion du sacré et du succès commercial, du religieux et du rationnel. Pour l'adepte du calvinisme, la réussite économique, aussi désirable fût-elle, représentait donc un fait secondaire. Elle n'avait de valeur que parce qu'elle était le signe de la grâce, de l'élection octroyée par le créateur.

Au contraire, dans le développement personnel, les sphères du sacré et du profane se trouvent en contact direct. La mystique et le management sont, si l'on peut dire, en court-circuit, et le choix entre ces deux objets est affaire de préférence subjective. On va de l'un à l'autre au gré de son désir, comme y invite avec une certaine impudeur Anthony Robbins : « Quoi que vous ayez envie de faire, que vous désiriez vous réaliser sur le plan spirituel ou gagner un million de dollars... »[1], déclare-t-il en introduction à ses séminaires de PNL.

---

1. *Pouvoir illimité, op. cit.*, p. 231.

Mais revenons au yuppie qui pratique l'« assise en silence ». À travers lui, n'est-ce pas un type humain idéal qui se dessine, un exemple de vie pour notre temps ? Aux différentes époques de l'Histoire, les hommes ont eu des modèles en lesquels s'incarnaient les valeurs qu'ils considéraient comme les plus hautes. Le clerc et le chevalier du Moyen Âge, le courtisan de la Renaissance italienne, l'honnête homme à l'âge classique, le philosophe de l'*Encyclopédie*, le bourgeois conquérant du XIXᵉ siècle tour à tour représentèrent l'idéal de la vie accomplie et supérieure. Il est indéniable que cette remarquable succession de types idéaux a façonné notre culture européenne.

Qu'en est-il de la société actuelle ? Avons-nous encore des modèles prestigieux à imiter ? On est parfois tenté de répondre par la négative… Pourtant, c'est justement dans notre paysage culturel que le développement personnel a surgi, et son ambition apparaît nettement : il tente de combler le vide d'idéal qui caractérise le monde dans lequel nous évoluons en forgeant un nouveau modèle humain, dont la particularité serait de concilier deux impératifs antithétiques, un impératif d'efficacité face aux injonctions de l'économie et un impératif de fidélité à la vocation spirituelle de l'homme. Le développement personnel entretient ainsi l'espoir, probablement chimérique, que l'on pourrait se conduire à la fois comme un battant et un sage, un homme d'affaires et un yogi*, un capitaine d'industrie et un maître spirituel. Équivalent moderne du moine-chevalier, cet *uomo nuove*, cet homme nouveau, voudrait être la synthèse de Bill Gates et de Krishnamurti.

L'âge de la conscience

L'idéal faustien du développement intégral des potentialités s'inscrit dans le cadre de spéculations millénaristes* et cosmiques qui constituent un des éléments les plus séducteurs de la littérature du développement personnel. Les théoriciens et les formateurs sont persuadés que l'humanité se trouve au seuil d'une nouvelle période de son évolution. Ils pensent que le processus d'hominisation n'a pas encore atteint son point final et qu'une étape supplémentaire reste à franchir, celle de la cérébralisation supérieure : « Dauphins et baleines sont des êtres accomplis ; nous, pas encore »[1], affirme *Le Livre de l'essentiel* en écho à la philosophie du paléontologue Pierre Teilhard de Chardin (souvent cité), auquel on pourrait associer le nom de Nietzsche, pour qui « l'homme est une chose qui doit être dépassée »[2]. En général, les auteurs manifestent une prédilection pour les thèses astrologiques et gnostiques* popularisées par le New Age.

---

1. P. Van Eersel (dir.), *Le Livre de l'essentiel, op. cit.*, p. 124.
2. F. Nietzsche, *Ainsi parlait Zarathoustra*, GF-Flammarion, 1996, chap. III, « Des tables anciennes et nouvelles », § 3, p. 250.

Dans leurs ouvrages, ils déroulent de grandioses fresques récapitulatives de l'évolution de la vie, depuis les premières bactéries jusqu'au mouvement du développement personnel, qu'ils saluent comme le couronnement d'un effort évolutif de plusieurs millions d'années. Tout se passe comme si le développement personnel fermait avec éclat la marche triomphale de l'esprit commencée il y a trois milliards et demi d'années… Un auteur comme Peter Russell s'enhardit jusqu'à écrire qu'il est aussi important que l'apparition de la vie sur Terre et même que le big bang[1].

Parce qu'elles soulignent l'autonomie de l'homme, ces spéculations évolutionnistes sont un hymne à sa gloire. À l'inverse des stades antérieurs de l'évolution, l'âge de la conscience résultera en effet d'une intervention délibérée de l'être humain sur lui-même. C'est ce que suggère le mot « autoréalisation » (*self realization* en anglais) : le préfixe « auto » indique que l'homme est désormais l'acteur principal de son progrès. Jusqu'alors, son évolution biologique avait été le fruit du hasard, le résultat de mutations génétiques aléatoires. Au contraire, le nouveau palier évolutif qui va être franchi sera voulu et réalisé par l'homme, un homme pleinement conscient de son objectif et qui,

---

1. P. Russell, *The Global Brain. Speculations on the Evolutionary Leap to Planetary Consciousness*, Los Angeles, Tarcher, 1983, chap. I.

par une sorte d'*auto-poïesis**, se prend dans ses mains pour se transformer en un être nouveau.

Ce n'est pas tout. L'âge de la conscience concerne non seulement les hommes, mais la planète tout entière, et même l'Univers. Le grand tournant de l'évolution humaine fait partie intégrante de l'évolution du cosmos. Ainsi, dans *Le Chemin le moins fréquenté*[1], best-seller de la littérature du développement personnel, le psychiatre américain Scott Peck déclare que la quête de la réalisation de soi a été voulue et déclenchée par une mystérieuse puissance coextensive à l'Univers. À lire certains ouvrages, on a l'impression que le cosmos retient son souffle devant nos stages de développement personnel… Cet habit cosmique n'est-il pas taillé trop large ?

Si une telle mise en scène, sur un aussi vaste théâtre, semble ridicule, elle n'en a pas moins le mérite d'apporter du réconfort à l'homme contemporain. Nous constatons une fois de plus que le développement personnel n'est pas une philosophie du désarroi ou du tragique. Il m'assure au contraire que je ne suis pas « jeté dans le monde sans raison », et que mon existence a du sens, puisque je vais participer à l'avènement de la supraconscience.

---

1. S. Peck, *Le Chemin le moins fréquenté*, J'ai lu, 1990.

CHAPITRE VI
LE DÉVELOPPEMENT PERSONNEL
EST-IL NUISIBLE ?

A u cours de cet ouvrage, nous avons, en maintes occasions, rapporté des pratiques et des idées face auxquelles le lecteur aura sans doute éprouvé de la défiance. Le moment est venu de préciser ces points, afin de marquer les limites au-delà desquelles le développement personnel risque de faire plus de mal que de bien. Quatre griefs majeurs peuvent être retenus.

Quelle citoyenneté ?

Le premier concerne la citoyenneté et l'engagement. Quelle sorte de citoyen le développement personnel façonne-t-il ? Les formateurs, on l'a dit, écartent toute approche sociopolitique. Ils n'abordent guère les thèmes des droits de l'homme, des rapports sociaux, des libertés publiques, du lien social. Ils prônent un travail psychologique sur la personne et non un travail politique sur le monde, et ce au nom de la conviction selon laquelle, en agissant sur le plan psychologique, on agit *ipso facto* sur le monde extérieur. Un des thèmes récurrents de la littérature du développement personnel est que, en travaillant sur les représentations internes, on catalyse le changement externe. Si l'on se change soi-même, « le monde changera par surcroît », car la subjectivité peut soulever des montagnes. Le moi, microcosme* branché sur le macrocosme, est présenté comme une sorte de bombe à retardement politique, ce qui ne saurait surprendre de la part d'une philosophie spiritualiste qui affirme la toute-puissance de la pensée sur le réel. Ainsi, un des arguments favoris de la méditation transcendantale est que la société connaîtrait un changement profond si le nombre de personnes pratiquant la méditation atteignait le seuil de un pour cent (c'est l'« effet Maharishi », du nom de son fondateur).

Mais cette « politique du moi » n'est-elle pas une confortable illusion ? Quand on s'est installé au cœur de l'intériorité, retrouve-t-on le chemin de l'extériorité ? Le risque n'est-il pas de s'abandonner aux charmes du narcissisme, comme Ulysse à Calypso ? Il y a ici un danger réel d'enlisement psychologique et de déresponsabilisation politique.

On doit aussi s'interroger sur les rapports du développement personnel et de l'économie libérale à l'heure de la mondialisation. Certes, l'homme idéal dont nous avons précédemment tracé le portrait incarne de façon éclatante l'autonomie, la puissance et la spiritualité. Contrairement aux types humains décrits par la sociologie au cours des décennies 1950, 1960 et 1970, c'est un héros positif : tandis que l'individu « hétéronome » de David Riesman[1], l'« homme unidimensionnel » de Herbert Marcuse, l'« homme de l'organisation » de William Whyte, la « personnalité névrotique » de Karen Horney offraient le triste spectacle de la soumission à la bureaucratie et à la société de masse, l'homme du développement personnel se flatte d'échapper aux conditionnements sociaux. Il proclame haut et fort sa liberté. Mais n'est-ce pas, là encore, une illusion ? N'est-il pas, lui aussi, un auxiliaire du système ? Car, à moins d'être naïf, on ne peut ignorer que les deux axes du travail sur soi répondent exactement aux impératifs de l'économie contemporaine.

Il est clair en effet que les méthodes d'affirmation de soi s'inscrivent dans les nouvelles pratiques du management. Elles favorisent l'adaptation à la compétition accrue, au flux tendu, à la précarité. C'est toute l'ambiguïté de la formule qui sert d'exergue aux stages de formation en entreprise : « développement

---

1. D. Riesman, *La Foule solitaire*, Arthaud, 1964 ; H. Marcuse, *L'Homme unidimensionnel*, Éditions de Minuit, 1968 ; W. Whyte, *L'Homme de l'organisation*, Plon, 1955 ; K. Horney, *La Personnalité névrotique de notre temps*, L'Arche, 1953.

personnel *et* professionnel ». L'optimiste comprendra la conjonction « et » au sens où le développement de la compétence professionnelle fournirait l'occasion de réaliser, par surcroît, l'épanouissement personnel, de sorte que l'on serait gagnant sur deux tableaux, la vie privée et la vie professionnelle. Mais le pessimiste dira que le système impose ainsi ses standards de comportement : sous couvert de réalisation personnelle, une implacable inculcation des normes néolibérales se met en place. Loin de favoriser l'autonomie, le développement personnel porterait donc l'aliénation à son paroxysme. Ce n'est plus seulement son temps et son énergie que le travailleur doit lui sacrifier : il consent désormais à une transformation de son intériorité afin de se mettre en conformité avec le système. Et c'est cette soumission psychologique que symbolisent les séminaires en entreprise : les cadres qui suivent ces stages de développement personnel (parfois à leur corps défendant, il faut le signaler) font le sacrifice de leur intimité sur l'autel de la rentabilité.

La spiritualité prônée par le développement personnel ne joue-t-elle pas, elle aussi, un rôle ambigu ? Il est troublant de constater que, pour beaucoup de gens, la quête mystique s'arrête au stade de la « fusion avec la conscience planétaire ». De fait, les individus sont satisfaits si, par le truchement des EMC, ils parviennent à éprouver un sentiment de communion avec la Terre ; ils se veulent des « hommes sans frontières ». Mais cette formule flatteuse n'est-elle pas à double tranchant ? On peut l'entendre au sens d'un dépassement métaphysique de l'ego ou bien, plus prosaïquement, comme un apprentissage de la citoyenneté planétaire. En d'autres termes, la pratique des EMC n'est peut-être qu'un insidieux moyen d'ajuster sa vie affective, cognitive, spirituelle à la planète en voie d'unification, et une façon de vivre sur un mode voluptueux la désintégration des souverainetés nationales. Le développement personnel jouerait donc le rôle d'idéologie du nouvel ordre mondial, ligotant un peu plus les individus. Bien loin de refléter la « supériorité de la pensée sur le réel », comme il s'en fait gloire, il ne serait que le serviteur de ce réel, avec la mission de lui fournir des justifications, de le légitimer en recouvrant d'un voile embellissant la situation de l'homme contemporain contraint à une lutte acharnée pour survivre, et jeté sans ménagement dans le creuset du système-monde.

L'ombre des sectes

Non moins grave est la dérive sectaire que l'on observe dans les milieux du développement personnel. Les enquêtes du Centre de documentation, d'éducation et d'action contre les manipulations mentales (CCMM) et de l'Union nationale des associations de défense des familles et de l'individu (UNADFI) ont attiré l'attention sur le fait que le développement personnel constitue actuellement une sphère d'action privilégiée pour les sectes. Comment expliquer ce phénomène ?

L'infiltration des sectes est facilitée, en premier lieu, par le flou qui entoure la profession de « formateur en développement personnel ». Celle-ci souffre d'une absence de vérification des compétences et de réglementation administrative : en France, n'importe qui peut se déclarer « thérapeute » ou « formateur » ; l'usage de ces titres est libre. Il n'est pas rare que, après avoir suivi un stage de huit ou dix jours d'analyse transactionnelle, de PNL ou de quelque autre technique, un individu devienne formateur à son tour. Or cette situation ouvre la porte à de nombreux abus.

Qui plus est, les formateurs se chargent de tâches ambitieuses inversement proportionnelles à leur degré de qualification. Cumulant les fonctions de psychothérapeute, de conseiller conjugal, de maître spirituel, de conseiller financier, de kinésithérapeute, ils prétendent s'occuper de la vie personnelle, familiale, professionnelle, somatique, religieuse de leurs clients. Cette prise en charge globale est un trait qui nous a frappé lors de notre enquête. Elle est aggravée par l'attitude d'autorité qui est souvent adoptée, et que traduit le ton impératif des consignes : « Faites telle chose » ; « Représentez-vous telle image mentale » ;

« Je veux que vous visualisiez telle scène » ; « Faites disparaître cette croyance-ci et adoptez cette autre croyance ».

Les stages de développement personnel tiennent à la fois du centre de vacances et de remise en forme, du séminaire professionnel, de la psychothérapie de groupe, de la retraite spirituelle, du club de rencontres. Comme on peut s'en douter, l'immersion dans cette vie de groupe englobante favorise bien des dérives. Le « séminaire qui va radicalement changer votre vie » risque d'être l'antichambre de la dépendance… Certes, le code éthique affiché par les formateurs est rassurant. Il reprend les nobles idées de non-directivité*, d'empathie* et de relation d'aide*, naguère définies par le psychologue Carl Rogers. Mais l'« accompagnement respectueux » peut céder la place à la manipulation. Il est tentant de passer d'une relation d'aide à une relation d'influence, et d'une relation d'influence à une relation de domination.

Au-delà de la figure ambiguë des formateurs, la dérive sectaire à laquelle on assiste s'explique par une raison de fond. Entre les sectes et le développement personnel, il existe en effet une parenté de nature.

D'une part, les sectes promettent aux individus la puissance, la vie intense, le plein épanouissement des facultés somatiques, psychiques, spirituelles, paranormales. Elles persuadent leurs adeptes qu'ils « n'utilisent

ordinairement que dix pour cent de leur cerveau »,
mais que « leurs capacités sont illimitées ». « Vous
deviendrez des surhommes », prophétisent les gou-
rous, eux-mêmes parvenus au stade suprême de la
réalisation de soi... Or, on l'a vu, le développement
personnel tient un discours similaire. D'autre part,
les sectes s'emploient à transformer mentalement
leurs adeptes. Cette transformation ne consiste pas,
comme on le croit parfois, à « bourrer le crâne », c'est-
à-dire à ajouter du savoir, mais, plus insidieusement,
à modifier la grille de lecture du monde. On agit non
sur le mode additif, mais sur le mode qualitatif, en
remaniant le logiciel psychique, en altérant le filtre de
la perception. N'est-ce pas ainsi que procède également le développement personnel ? Dans les deux
cas, on poursuit un même objectif de déconstruction
des croyances et de reprogrammation.

Il serait instructif, à cet égard, de rapprocher le
développement personnel des méthodes utilisées par
l'Église de scientologie. Cette secte se définit à la fois
comme une « branche de la psychologie qui traite des
aptitudes humaines » et comme une « religion »[1]. Or,
une telle bipolarité correspond parfaitement aux deux
orientations du développement personnel, et le vocabulaire de la « dianétique* » (la doctrine de la scien-

---

1. L. R. Hubbard, cité dans *Les Sectes en France*, Éditions
CCMM, 1991, p. 81.

tologie) est un décalque, teinté d'ésotérisme, des concepts que ce mouvement véhicule. Ainsi, l'expression « mental réactif » désigne les peurs, les engrammes*, les croyances limitantes du sujet. Il s'agit de s'en débarrasser pour accéder à l'état de « clair », entendez d'« être ayant amorcé sa réalisation ». Quant au « thétan opérant », c'est l'individu parvenu, grâce à la dianétique, à un développement quasi suprahumain de ses facultés.

Concluons donc ce point en soulignant que l'un des grands défis des années futures sera de protéger le secteur du développement personnel contre l'infiltration des sectes. Il faudra, en particulier, faire preuve de beaucoup de discernement pour évaluer les offres de formation en entreprise.

Le moi idéal et le sens de la vie

Poursuivons la critique du point de vue de la philosophie de l'homme. Le développement personnel participe de la culture prométhéenne qui se manifeste à travers le goût des prouesses et de l'extrême, l'exploit sportif, le dopage, l'élargissement de la conscience, la drogue, l'intérêt pour le paranormal, l'occultisme, la croyance dans la réincarnation, etc. Son idéal n'est pas l'homme équilibré cher aux Grecs, mais l'homme illimité ; à la *sophrosûné* (la tempérance), il préfère l'*hybris* (la démesure).

Dans une civilisation comme la nôtre, qui traverse une profonde crise du sens en raison de l'effondrement des idéologies et des utopies politiques, ce projet d'homme illimité apparaît au premier regard comme un remède providentiel contre le désarroi. En mettant en évidence l'écart entre le moi ordinaire et le moi parvenu à actualiser ses potentialités, entre ce que l'on est et ce que l'on pourrait être, il donne une direction à l'effort individuel : « Vous possédez un immense potentiel psychologique. La réalisation de ce potentiel doit désormais être votre but. » Ainsi le sens de la vie redevient déchiffrable... Renfermé dans l'intériorité de la personne en devenir, délivré du poids de la transcendance, il consiste désormais à rapprocher notre moi réel de notre moi idéal, à mobiliser nos ressources jusqu'au complet épanouissement de notre personnalité, en une sorte d'héroïsation de nous-mêmes, d'autotranscendance, d'autodivinisation. Aux absolus extérieurs à soi – utopies politiques, révolutions, progrès, salut religieux, Dieu – se substitue l'« absolu de soi ».

Mais la médaille a son revers. Ce face-à-face de l'individu avec l'absolu de soi entraîne une souffrance psychologique, dont l'intensité ressort d'une comparaison avec le passé. L'homme d'autrefois (en particulier au XIXe siècle) était obsédé par l'opposition du bien et du mal ; il redoutait de commettre des transgressions. Son *surmoi* le surveillait, le persécutait.

L'homme d'aujourd'hui est, certes, plus tranquille de ce point de vue, mais son angoisse s'est déplacée : il est désormais hanté par son *moi idéal*, et l'abondance des ouvrages de développement personnel n'est pas faite pour le rassurer à cet égard, car elle lui rappelle d'une manière obsédante tout ce qu'il lui reste à faire. L'homme actuel redoute non pas de transgresser la morale, de franchir la ligne rouge des interdits, mais de ne pouvoir satisfaire les exigences exorbitantes de son moi idéal, dont la tyrannie est bien plus pesante que celle du surmoi. La crainte de la culpabilité cède la place à la crainte de la médiocrité. L'instance persécutrice de la personnalité, qui était autrefois le surmoi, réside à notre époque dans l'Idéal du moi : le conflit ça/surmoi s'efface au profit du conflit moi/idéal du moi. Qui n'a peur maintenant de rester en deçà de ses possibilités, de laisser son potentiel en friche ? On craint dorénavant de rester dans le registre du « limité », alors que l'« illimité » nous ouvre les bras. « Saurai-je m'arracher à une vie médiocre ? » se demande chacun avec anxiété. Et que dire du drame de l'homme qui a épuisé ses ressources, du cadre d'entreprise que l'on met sur la touche parce qu'il est *burnt out** ? Le mythe d'Icare nous rappelle cruellement que le désir d'excellence peut être mortifère...

Ainsi, le développement personnel est bienfaisant dans la mesure où il supplée à la défaillance des grands systèmes donneurs de sens. Il sauve le sens, à un moment de profond désarroi. Mais ce cadeau fait aux hommes est empoisonné. Sa mythologie de l'excellence est à double tranchant, à la fois restauratrice du sens et facteur d'angoisse ; son prométhéisme psychique pourrait conduire l'homme futur à une nouvelle forme de conscience malheureuse.

La mystique de la puissance, négation de l'humain

Un autre sujet d'interrogation concerne le besoin de maîtrise et de puissance. Les techniques de déprogrammation et de reprogrammation visent, on l'a vu, à arraisonner la vie intérieure. Leur présupposé anthropologique est que, au fond, rien n'est « donné » en l'homme. Tout est transformable : nos jugements, nos valeurs, nos désirs, nos émotions, nos croyances se déconstruisent et se reconstruisent à volonté. La vie mentale et affective est donc éminemment « gérable ». Or, cette technicisation de la vie psychique, cette démiurgie de l'intériorité représentent une forme insidieuse de totalitarisme. Une telle soumission de la nature à l'artificialisme est déshumanisante. Il y a dans le développement personnel un refus obstiné d'admettre l'imprévisibilité, l'insondabilité, la fragilité de l'être humain. Son modèle d'homme ne connaît ni le désarroi, ni la finitude, comme s'il substituait à notre condition naturelle une « prothèse de vie ».

Corrélativement, il fait l'économie de la culture et du colloque avec les morts. Ce que les individus mettent d'ordinaire des années à atteindre avec l'aide de la religion, de la littérature, de l'art, de la philosophie ou de la fréquentation de leurs semblables, on prétend l'obtenir ici instantanément, grâce à des techniques. Une des conséquences regrettables de ce technicisme est de rendre superflue la rencontre avec les grandes œuvres culturelles du passé. De fait, la littérature, la peinture, la musique, la poésie, les humanités sont la plupart du temps absentes du développement personnel.

N'y a-t-il pas aussi une tentation du refus d'autrui ? Certes, la notion de « relationnel » est constamment invoquée par les formateurs. Ceux-ci encouragent leurs clients à développer leur « potentiel relationnel ». Mais quelle est la valeur de cette expérience de l'altérité ? Il est clair que, à trop gérer, trop contrôler le relationnel, on risque d'appauvrir la rencontre avec autrui. L'abus des techniques de communication fait obstacle à un échange authentique. Il convient aussi de s'interroger sur la place d'autrui dans les expériences transpersonnelles. Le développement transpersonnel invite à faire la reddition de son moi, à se fondre dans la totalité, mais cette coalescence des ego est-elle le gage d'un véritable échange ? Permet-elle de ressentir réellement le mystère d'autrui ?

Imaginez vingt personnes réunies dans une salle pendant deux jours pour suivre un stage de respiration holotropique. Allongées sur des matelas, les yeux fermés, bercées par une douce musique, elles pratiquent une méthode respiratoire qui modifie le métabolisme cérébral et provoque un état de demiconscience. À la faveur de cette expérience, elles exhument des souvenirs anciens, reviennent à leur vie fœtale, contactent le soi transpersonnel, communient avec le tout et découvrent – du moins leur a-t-on parlé de cette éventualité – leurs vies antérieures. Ces sujets sont « ensemble », mais quelle est la valeur de la communauté qu'ils constituent ? Les formateurs assurent que « chacun profite de l'énergie du groupe ». Pourtant, cette coprésence à autrui, cette juxtaposition des états modifiés de conscience n'est pas une vraie communauté. Ce n'est pas ainsi que l'on « fait société ». Une telle vie de groupe est, au mieux, une addition de narcissismes. N'eût-il pas été plus profitable d'employer ces deux jours à essayer de nouer avec les autres, tout simplement, une conversation ?

CHAPITRE VII
L'ÉTHIQUE, FONDEMENT
DE LA RÉALISATION DE SOI

Faut-il pour autant brûler le développement personnel ? Nous ne le pensons pas, car il y aurait un moyen d'éviter les dérives du narcissisme, du technicisme et des sectes. Ce serait de revenir à l'exigence éthique qui inspirait son fondateur, Abraham Maslow. Ce dernier ne concevait pas l'épanouissement de la personne autrement que par référence à la morale.

Le souci des valeurs qui animait Maslow découlait de l'analyse qu'il faisait des besoins de développement, ou métamotivations, qui, on l'a vu au début de ce livre, se distinguent radicalement des besoins psychologiques de base. Maslow les étudie longuement dans deux ouvrages, *Vers une psychologie de l'être* et *The Farther Reaches of Human Nature*[1]. Il constate que ces exigences sont orientées vers des

---

1. Respectivement : *op. cit.*, et New York, Viking Press, 1971.

fins morales, et ce d'une manière originaire, essentielle : ce sont, souligne l'auteur, d'authentiques besoins d'ordre supérieur et non pas, comme chez Freud, de simples pulsions sexuelles « sublimées ». Vouloir vivre pleinement, actualiser son potentiel, se réaliser, s'épanouir, être créatif, c'est répondre à l'appel du vrai, du beau, du bien, du sublime ; c'est, pour reprendre l'allégorie de Platon dans *La République*, vouloir quitter la caverne afin de s'élancer vers le ciel des idées.

Maslow alliait ainsi audacieusement l'idéalisme moral et le naturalisme psychologique. En déclarant que le besoin du beau, du vrai, du juste est une pulsion innée, il posait les bases d'un idéalisme biologique. De même, expliquait-il, que l'on a naturellement besoin de tendresse, de reconnaissance, d'appartenance (besoins psychologiques de base), de même que notre corps réclame des vitamines ou du calcium, de même le psychisme a viscéralement besoin de vérité, de beauté, de raffinement, de dévouement, de pureté, de noblesse. Ces valeurs ne sont pas, comme le croit le sociologue, surajoutées à la nature humaine par la société ou l'éducation, elles répondent en nous à des tendances innées : nos métamotivations sont biologiquement déterminées.

Dans la perspective de Maslow, les mots qui résument le projet du développement personnel recevaient donc un sens bien différent de celui qui nous est apparu au cours de notre enquête. « Affirmer le moi » voulait dire pour lui : mettre ses ressources au service des valeurs, se battre pour les incarner dans le monde, se dévouer à une cause. « Accroître ses compétences » ne se concevait qu'en référence à des fins élevées : la création artistique, la recherche de la vérité, le triomphe de la justice, l'exercice d'une profession accomplie avec conscience, la charité, l'entraide, le service du bien commun, la compassion. Le développement de la vie intérieure était un authentique enrichissement de la sensibilité, un apprentissage de l'admiration et de la contemplation. Quant à l'abandon au transpersonnel, il permettait la vision extatique d'un monde où les valeurs seraient déjà réalisées, à l'instar des « auto-actualisants » qui, pour reprendre les termes de Maslow, éprouvent dans l'expérience culminante la saveur d'« un monde plus honnête, plus vrai et plus beau qu'en temps ordinaire »[1]. Ainsi arrimé à l'idéalisme, le développement personnel constituait une véritable culture de l'âme.

L'oubli des valeurs

Malheureusement, ce n'est pas toujours cette forme de développement personnel qui prévaut de nos jours. Il y a un fossé entre les intentions de Maslow

---

1. *The Farther Reaches of Human Nature, op. cit.*, p. 102.

et les pratiques actuellement suivies dans les stages et les formations. Pourquoi le mouvement du développement personnel a-t-il oublié sa vocation morale et idéaliste ? Pourquoi Maslow a-t-il été trahi par ses épigones ? Trois raisons peuvent être invoquées.

Tout d'abord, le développement personnel a subi l'influence de notre société, laquelle évacue l'idéal avec une sorte d'acharnement nihiliste. À l'instar de ce qu'écrivait Freud en 1929, on pourrait parler, pour caractériser le monde dans lequel nous vivons, d'un véritable « malaise dans la civilisation ». Mais, tandis que ce trouble résultait pour Freud de la non-satisfaction des besoins de base (en particulier des pulsions érotiques), le malaise découle aujourd'hui, en partie, des obstacles auxquels se heurtent nos métamotivations : ce sont nos aspirations psychologiques les plus élevées qui sont dorénavant contrariées. Notre dépression collective vient des interdits qui frappent non pas le plaisir sexuel ou l'expression de l'agressivité, mais le beau, le bien, le vrai. En d'autres termes, notre pathologie est une maladie carentielle due à la privation d'idéal ; nous souffrons d'un « idéalisme frustré » dont les causes se déclinent aisément : la consommation et la publicité rongent notre vie intérieure... Les distractions médiatiques nous tirent vers le bas... La sexualité est dénaturée par la pornographie... Le milieu urbain donne congé à la beauté... Les bruits musicaux rivalisent de brutalité… Le travail est asservi à la loi de la rentabilité… Les rapports sociaux manquent de grâce…

En deuxième lieu, il faut tenir compte de la présence en l'être humain d'une obscure crainte face à ses métamotivations, d'une tendance à les méconnaître, bref, d'une peur de la réalisation de soi. De même que les pulsions étudiées par le psychanalyste suscitent un refus inconscient, de même l'être humain est tenté de se protéger contre ses besoins supérieurs en les ignorant. Or ce refoulement, car c'en est un, s'accentue à notre époque. Bien des gens ont honte d'avouer leur préférence pour ce qui est noble, pur, sublime. Il n'y a plus guère d'interdits en matière de sexe ou d'agressivité, mais les motivations idéalistes, elles, sont entourées d'un tabou et enfouies dans le silence de la dénégation.

livres et

ÉPILOGUE

Enfin, une part importante de la responsabilité incombe aux formateurs eux-mêmes qui, à travers leur pratique professionnelle et leurs écrits, ont laissé peu à peu s'altérer la pensée de leur maître. L'enquête que nous avons menée dans les livres et sur le terrain nous a montré que c'est une vision réductrice de la réalisation de soi qui triomphe de nos jours. Le pragmatisme psychologique et l'instrumentation de l'âme sont constamment exaltés. Le prestige de la puissance et de l'illimité est immense. Le besoin de maîtrise, la démiurgie de la personnalité refoulent l'apport de la littérature, de l'art, de la poésie, de la musique, de la réflexion philosophique, du recueillement religieux, du sentiment de la nature. Il semble n'y avoir plus aucun frein à la technicisation de la vie intérieure. Aussi terminerons-nous notre ouvrage par un pronostic doublé d'une mise en garde. Si le développement personnel persiste dans cette voie, s'il néglige l'éthique, s'il s'obstine à nier ce qu'il y a d'humain dans l'homme, il ne laissera aux générations futures que le souvenir d'une alliance, à la fois détestable et stérile, entre Narcisse et Prométhée.

GLOSSAIRE

Agonal : relatif à la compétition, à la rivalité.

aide (Relation d') : dans la méthode non directive de Carl Rogers, conception du rapport psychothérapeutique ou pédagogique qui affirme la prédominance du client ou de l'élève, dont il s'agit uniquement de « faciliter » la progression, dans un climat d'acceptation et de chaleur, exempt de toute autorité.

Anamnèse : en médecine, ensemble des informations apportées par le malade sur l'historique de sa maladie.

Ancrage : en PNL, technique d'autoconditionnement qui consiste à associer un stimulus externe à un état interne (joie, confiance, etc.) afin de pouvoir ultérieurement, en réutilisant ce stimulus, provoquer l'apparition du même état interne.

Antipsychiatrie : mouvement regroupant principalement des psychiatres et des psychanalystes qui, à partir des années 1960, contestèrent les institutions psychiatriques et certains traitements administrés aux malades.

Ashram : en Inde, lieu de retraite où les disciples se groupent autour d'un gourou, d'un maître spirituel.

Assertivité : affirmation de soi.

Assise en silence : exercice de méditation qui vise à créer le vide de la pensée.

Auto-poïesis : autoproduction. Attitude de l'homme qui entend « se faire lui-même ».

Bioénergie : créée dans les années 1950 par Alexander Lowen, médecin et psychanalyste disciple de Wilhelm Reich, la bioénergie est une forme de cure psychanalytique qui vise la libération de la libido. Elle associe au travail verbal un travail corporel (respiration, postures, mouvements, expression physique des émotions) destiné à dénouer les tensions physiologiques et musculaires.

Biofeedback : technique d'autocontrôle des fonctions physiologiques involontaires liées aux émotions (rythme cardiaque, vasodilatation, ondes cérébrales, tension musculaire, température de la peau) utilisée dans le traitement de troubles psychosomatiques.

Burnt out : expression anglaise signifiant « épuisé par l'excès de travail ».

Catharsis : méthode thérapeutique qui consiste à faire resurgir des souvenirs inconscients pour provoquer une décharge émotionnelle libératrice.

Cérémonie du thé : au Japon, culte esthético-social lié au bouddhisme zen qui est régi par une étiquette précise et raffinée et possède une signification spirituelle.

Chakras : dans le yoga notamment, centres énergétiques du corps (pubis, nombril, creux de l'estomac, racine du nez, zone située entre les sinus frontaux, fontanelle) qui coïncident avec différents plexus nerveux.

Chamanisme : ensemble des pratiques et des croyances propres aux prêtres d'Asie centrale ou septentrionale, ainsi qu'aux sociétés primitives d'Amérique, d'Indonésie et d'Océanie qui exercent les fonctions de devins et de guérisseurs et qui connaissent les techniques de la transe et de l'extase.

Coaching : accompagnement psychologique d'un manager par un *coach* (sorte de consultant), dans un but de développement professionnel et personnel.

Cogito : désigne, dans la philosophie de Descartes, le sujet pensant.

Cognitions : en thérapie cognitive, idées et images qui se présentent à l'esprit de façon spontanée et automatique en réaction à des événements extérieurs, et qui s'organisent en un monologue intérieur plus ou moins conscient. Précédant, accompagnant ou suivant l'action du sujet, elles suscitent en lui des émotions variées.

Contre-culture : mouvement idéologique né dans les années 1960 aux États-Unis en opposition aux normes et aux valeurs de la société industrielle et bureaucratique.

Cri primal : méthode psychothérapeutique mise au point par Arthur Janov dans les années 1960. En revivant les événements traumatisants de sa petite enfance, le sujet se reconnecte à ses sensations, ses émotions, son corps et se libère de la souffrance.

Cuirasse musculaire : dans la théorie psychanalytique de Wilhelm Reich, désigne les tensions musculaires consécutives au refoulement des émotions.

Dianétique : doctrine à finalité psychologique et spirituelle élaborée à la fin des années 1940 par l'Américain L. R. Hubbard, fondateur de la secte de l'Église de scientologie.

EMC : état modifié de conscience.

Empathie : comportement relationnel fondé sur la compréhension des sentiments d'autrui, grâce à l'intuition, à la participation affective et à l'identification.

Engramme : trace organique laissée dans les tissus nerveux par des stimulations antérieures (acquisitions didactiques, réflexes conditionnés, événements douloureux).

Ennéagramme : méthode d'étude de la personnalité fondée sur une typologie qui distingue neuf *(enneas,* en grec) styles de comportement : le perfectionniste, l'altruiste, le gagnant, le créatif, l'observateur, le loyaliste, l'épicurien, le meneur, le médiateur. Issue de traditions mystiques et ésotériques, cette méthode a une finalité thérapeutique et spirituelle.

Extase : état affectif intense caractérisé par le sentiment de ravissement et de béatitude, l'affaiblissement du contrôle de soi, l'indifférence aux stimulations extérieures et l'immobilité corporelle.

Francfort (École de) : mouvement philosophique né en Allemagne dans les années 1920 et qui a compté parmi ses membres de grandes figures de la pensée contemporaine (Max Horkheimer, Theodor Adorno, Walter Benjamin, Herbert Marcuse). Son projet était de renouveler l'analyse marxiste en intégrant les apports de la psychologie, de la psychanalyse et de la sociologie, afin de penser certains aspects majeurs du monde contemporain : le progrès technique, la communication, la domination totalitaire, la crise de la raison.

Freudo-marxisme : courant psychanalytique et sociologique, fondé par Wilhelm Reich à la fin des années 1920 et poursuivi par Herbert Marcuse, qui propose une synthèse du freudisme et du marxisme en établissant un lien entre la répression sexuelle et les structures sociales. Pour le freudo-marxisme, le capitalisme est pathogène, car il impose le refoulement des instincts.

Gestalt-thérapie (de l'allemand *Gestalt*, « forme » ; autrement dit, en psychologie, organisation dans laquelle les propriétés des parties ou des processus partiels dépendent du tout) : démarche psychothérapique à caractère holistique qui considère l'individu comme une totalité (corps et esprit), laquelle est elle-même insérée dans un environnement global. Cette méthode a été fondée par le psychanalyste d'origine allemande Fritz Perls (1893-1970), qui est un des leaders du Mouvement du potentiel humain.

Gnostique : relatif à la gnose, c'est-à-dire à la connaissance ésotérique du sens caché des religions et des mystères divins grâce à laquelle on accède au savoir absolu, ce qui permet à l'âme humaine déchue des mondes supérieurs de trouver le salut. La gnose se transmet par tradition et par initiation.

Hallucinogène : substance qui entraîne une modification des sensations et des perceptions, ainsi que des manifestations oniriques.

Hara : dans l'anatomie mystique du bouddhisme zen, désigne le ventre, centre vital où se développe une force, ou énergie, appelée qi (ou tchi).

holotropique (Respiration) : méthode de psychothérapie clinique mise au point par le docteur Stanislav Grof, psychiatre américain d'origine tchécoslovaque, né en 1931. Basée sur la respiration profonde, sur des musiques évocatrices, des exercices corporels et des mandalas (représentations géométriques et symboliques de l'univers dans le brahmanisme et le bouddhisme), elle permet selon son auteur de revivre des expériences de trois sortes : biographiques (liées à l'histoire personnelle), périnatales (rattachées à la naissance) ou transpersonnelles (identification au cosmos ou régression dans des vies antérieures).

Homéostasie : tendance d'un système (physique, organique, mental, social, économique…) à conserver son état d'équilibre ou à rétablir ce dernier par le contrôle de certaines variables.

humaniste (Psychologie) : courant de la psychologie né dans les années 1960 en Californie, à l'Institut Esalen, qui traite des besoins de réalisation de soi tels qu'Abraham Maslow (1908-1970) les a définis dans sa pyramide des besoins *(v.* plus haut, p. 25). La psychologie humaniste se présente comme une « troisième voie » entre la psychanalyse et l'approche béhavioriste.

Hypnose : sommeil artificiel, induit par la parole, le regard ou les gestes de l'opérateur, qui est caractérisé par une altération de la volonté et de la mémoire et provoque un état de suggestibilité. L'hypnose est utilisée parfois dans le traitement de certains états névrotiques.

Leadership : fonction de celui qui conduit, dirige et entraîne un groupe d'individus. Aptitude à remplir cette fonction.

Mantra : dans l'hindouisme et le bouddhisme, formule rituelle d'invocation (parfois une simple syllabe, comme le son « om ») qui a un caractère magique et spirituel et se transmet de maître à disciple. On récite les mantras dans les pratiques de concentration.

martiaux (Arts) : ensemble des sports de combat d'origines japonaise et chinoise (judo, karaté, aïkido, kendo, tir à l'arc) fondés sur le code moral des samouraïs.

Médiumnité : dans l'occultisme, faculté de communiquer avec les esprits.

Métamotivation : dans la psychologie d'Abraham Maslow, besoin de réalisation de soi, par opposition aux besoins psychologiques de base.

Microcosme : concept de la pensée ésotérique lié à une loi d'analogie selon laquelle la nature humaine, ou microcosme, est la représentation miniaturisée et la récapitulation de l'Univers entier (macrocosme).

Millénarisme : doctrine théologique des premiers siècles de notre ère selon laquelle le Christ doit revenir sur Terre pour régner mille ans, jusqu'au jugement dernier. Par extension, annonce d'un âge d'or.

Mudra : dans le bouddhisme notamment, geste rituel à valeur symbolique accompli avec les doigts.

NDE *(Near Death Experience)* : expérience vécue par les personnes qui ont été ranimées après avoir été considérées comme cliniquement mortes ou qui, lors d'accidents, de blessures graves ou de maladies, ont vu la mort de près. Certaines de ces personnes déclarent qu'elles ont éprouvé l'impression de flotter hors de leur corps, dans un état de paix et de plénitude, ce qui prouverait la réalité d'une forme de vie après la mort.

Nirvana : dans la philosophie hindouiste et bouddhiste, état de sérénité, de bonheur absolu et de quasi-vacuité auquel on parvient lorsque l'on a réalisé l'extinction du désir humain, laquelle libère du cycle des réincarnations.

Non-directivité : attitude d'un pédagogue, d'un psychothérapeute, d'un moniteur de groupe ou d'un enquêteur caractérisée par le refus d'exercer une quelconque influence. La non-directivité (on dit aussi « approche centrée sur la personne ») est la base de la démarche de thérapie et de développement personnel préconisée par le psychologue américain Carl Rogers (1902-1987).

Numineux : concept de l'anthropologie religieuse forgé au début du XXᵉ siècle par Rudolf Otto dans *Le Sacré*. Désigne l'impression spécifique et ambivalente, faite de terreur et d'attirance, d'effroi et de fascination, produite sur l'homme par l'objet religieux et le surnaturel.

Paradigme : en philosophie des sciences, ce terme désigne le système de croyances, de postulats, de valeurs et de techniques qui constitue la référence intellectuelle prédominante pour la communauté scientifique ou le public éclairé à une époque donnée.

Phobie : peur obsédante et irraisonnée qu'un sujet nourrit à propos d'objets ou de situations qui ne sont pas en eux-mêmes sources de danger.

PNL (programmation neurolinguistique) : méthode de changement personnel et de communication élaborée au milieu des années 1970 par les Américains Richard Bandler et John Grinder. La PNL vise à « apprendre à se servir de son cerveau ». Elle part de l'observation des individus qui réussissent particulièrement bien dans les domaines professionnel, social, artistique, affectif, etc., et cherche à déterminer comment ils se motivent, trient l'information, gèrent leurs impressions, raisonnent, prennent leurs décisions. De cette observation, la PNL tire des modèles d'excellence censés être applicables à tous. La modélisation du fonctionnement mental passe notamment par une analyse précise des images mentales (visuelles, auditives, kinesthésiques) qui composent notre « expérience subjective », c'est-à-dire notre vie intérieure.

positive (Pensée) : attitude qui repose sur le principe selon lequel tout individu possède un riche potentiel qu'il doit apprendre à utiliser et à développer : a) en combattant la tendance à la dévalorisation de soi, à l'anxiété et au pessimisme ; b) en s'entraînant méthodiquement à se mobiliser en vue d'objectifs clairs et précis, à percevoir le futur avec confiance et à visualiser de façon créatrice les résultats espérés.

Process-communication : méthode d'analyse des profils de personnalité (au nombre de six : empathique, persévérant, rêveur, « travaillomane », rebelle, promoteur) et des stratégies de communication entre les individus créée dans les années 1970 par l'Américain Taibi Kahler à partir de l'analyse transactionnelle.

Psycho-immunologie : discipline qui s'efforce de prendre en compte le facteur psychologique dans l'étude des réactions immunitaires de l'organisme.

Qi (ou tchi) : littéralement, force ou souffle vital. Principe énergétique dans les philosophies orientales.

Rebirth : mot anglais signifiant « renaissance » ; thérapie cathartique qui utilise la relaxation et la respiration accélérée pour guérir le sujet de ses traumatismes anciens, notamment la naissance et la désapprobation parentale. Elle fut mise au point par l'Américain Leonard Orr dans les années 1960, à l'Institut Esalen.

Régression dans les vies antérieures : technique hypnotique d'exploration du passé personnel et, de façon plus problématique, des vies antérieures, dans un but psychothérapeutique.

Relaxation : technique de relâchement des tensions musculaires et de détente psychique.

Samadhi : dans le yoga, pratique contemplative qui aboutit à une interruption des processus mentaux et au sentiment d'une complète union avec l'objet.

Satori : dans le bouddhisme zen, accès à un niveau de conscience supérieure grâce à la pratique de la concentration.

Silva (Méthode) : dite aussi méthode de contrôle mental. Technique de développement personnel mise au point par José Silva, ingénieur en électronique américain, dans les années 1960. Utilisant notamment la relaxation, cette technique se propose d'améliorer les performances mentales (mémoire, créativité), la réussite professionnelle, le bien-être, la confiance en soi.

Soi : dans la psychologie de Carl Jung, ce terme désigne non seulement la psyché consciente, mais aussi l'inconscient, et notamment l'inconscient collectif au contenu universel et immuable (formé d'archétypes). Le soi est donc une entité plus large que le simple moi. Grâce à lui, le sujet participe à la totalité : « Au plus profond d'elle-même, la psyché n'est plus qu'Univers » (Carl Jung, *Ma vie. Souvenirs, rêves et pensées*, Gallimard, 1991, p. 457).

Sophrologie : technique psychiatrique de suggestion, de relaxation et de pensée positive, utilisée notamment contre l'anxiété, la phobie et la douleur (chirurgie dentaire, accouchement). Elle fut créée dans les années 1960 par Alfonso Caycedo, professeur à la faculté de médecine de Barcelone, qui s'inspira des techniques orientales (le yoga notamment), de l'hypnose et de la méditation.

Sous-modalité : en PNL, élément premier de la représentation subjective (par exemple, la luminosité dans une image mentale visuelle, la sensation de poids dans une image kinesthésique, le volume dans une image sonore).

Tai-chi : gymnastique chinoise d'inspiration taoïste qui consiste en un enchaînement de mouvements lents et précis destinés à créer un équilibre intérieur et à maîtriser l'énergie physique et psychique. C'est à la fois un art martial et un exercice sportif.

Télépathie : communication à distance, par la simple pensée, sans recours aux émetteurs et récepteurs sensoriels.

Topos : en analyse du discours, ce terme désigne un lieu commun, un cliché.

Training autogène : méthode de relaxation à finalité thérapeutique qui mobilise l'autosuggestion, des exercices respiratoires, ainsi que la prise de conscience du corps et des sensations cénesthésiques (poids, respiration, détente, réchauffement, etc.). Créé par J. H. Schultz, en Allemagne, au début des années 1910.

transactionnelle (Analyse) : méthode d'analyse et de changement psychologiques appliquée aux problèmes de la communication humaine. Créée à la fin des années 1950 par Éric Berne, médecin psychiatre et psychanalyste, l'analyse transactionnelle postule que la personnalité est constituée de trois éléments ou « états du moi » : le parent, l'adulte, l'enfant. Sur la base de cette conception tripartite de la personnalité, elle étudie dans une perspective structurale les différents types d'échange – ou « transactions », d'où le nom de la méthode –, les scénarios ainsi que les jeux inconscients et répétitifs qui s'instaurent entre les individus.

transcendantal (Je) : dans la philosophie de Kant, le jeu transcendantal est l'activité synthétisante par laquelle le sujet humain unifie l'objet de connaissance (tel qu'il est élaboré à l'aide des catégories de l'entendement et des formes de la sensibilité) et se reconnaît ainsi comme principe constituant du monde phénoménal. Attention : chez Kant, le mot « transcendantal » a un tout autre sens que dans l'expression « méditation transcendantale ». Il est relatif aux conditions *a priori* de la connaissance (c'est-à-dire aux catégories de l'entendement et aux formes de la sensibilité), et non à un domaine transcendant situé au-delà de l'expérience ordinaire que l'on pourrait atteindre par la méditation ou par une intuition mystique. Voir « transcendantale (Méditation) ».

transcendantale (Méditation) : méthode de relaxation popularisée par la secte du même nom, qui s'inspire de la psychologie scientifique et de la tradition hindouiste. Son but affiché est de développer le potentiel physique et mental et de transcender les dualismes (sujet/objet, moi/autrui, esprit/corps), en particulier par la récitation de mantras empruntés à la tradition védique. Voir aussi « transcendantal (Je) ».

Transe : état modifié de conscience caractérisé par l'exaltation et l'agitation chez un individu transporté hors de lui-même et du monde réel ou chez un médium habité par un esprit.

Transpersonnel : se dit d'un état psychologique et d'une technique qui permettent le dépassement des frontières du moi et l'abolition de l'individualité.

Visualisation créatrice : procédé mental qui consiste à se représenter positivement et avec confiance des images relatives à un problème (affectif, professionnel, intellectuel, médical) que l'on cherche à résoudre. À l'origine, la visualisation créatrice avait surtout pour finalité de lutter contre la maladie (*v.* les travaux du cancérologue américain Carl Simonton).

Voyage astral : dans l'occultisme, phénomène de dédoublement et de décorporation au cours duquel le corps immatériel (énergétique ou subtil) d'un individu se sépare du corps matériel, donnant l'illusion de voler dans le monde environnant et de pouvoir rencontrer les êtres incorporels du monde astral. On l'appelle aussi *Out of Body Experience* (OBE).

Yoga : philosophie et ensemble de pratiques physiques, psychologiques et spirituelles inspirés de l'hindouisme qui visent à la libération, à l'illumination.

Yogi : ascète pratiquant le yoga.

Zen : importante école de bouddhisme introduite au Japon à partir de la Chine aux XII et XIIIe siècles.

BIBLIOGRAPHIE

Quelques livres caractéristiques de la littérature du développement personnel

BANDLER, Richard, *Un cerveau pour changer. La programmation neurolinguistique*, InterÉditions, 1990.

BERNE, Éric, *Analyse transactionnelle et psychothérapie*, Payot, coll. « Petite bibliothèque Payot », 1990.

DECHANCE, Jacques, *Le Développement personnel. Pourquoi ? Comment ?* Souffle d'or, 1995.

DÜRCKHEIM, Karlfried Graf, *Le Centre de l'être*, Albin Michel, coll. « Spiritualités vivantes », 1992.

GINGER, Serge, *La Gestalt. Une thérapie du contact*, Hommes et groupes, 1987.

GROF, Christina et Stanislav, *À la recherche de soi*, Éditions du Rocher, coll. « L'Esprit et la Matière », 1996.

LOWEN, Alexander, *La Joie retrouvée*, Dangles, coll. « Psycho-soma », 1995.

MASLOW, Abraham H., *Vers une psychologie de l'être*, Fayard, 1972 ; *The Farther Reaches of Human Nature*, New York, Viking Press, 1971.

MOSS, Richard, *Papillon noir : invitation à un changement radical*, Souffle d'or, 1989.

ROBBINS, Anthony, *Pouvoir illimité*, Robert Laffont, coll. « Réponses », 1988.

ROGERS, Carl R., *Le Développement de la personne*, Dunod, 1968.

VAN EERSEL, Patrice (dir.), *Le Livre de l'essentiel. Plus de 1 000 idées pour vivre autrement*, Albin Michel, coll. « Guides clés », 1995.

Ouvrages de documentation et de critique

ANDRÉ, Christophe, *Vivre heureux : psychologie du bonheur*, Odile Jacob, 2003.

AUBERT, Nicole et GAULEJAC, Vincent (DE), *Le Coût de l'excellence*, Le Seuil, 1991.

BORREL, Marie et MARY, Ronald, *L'Âge d'être et ses techniques*, Presses Pocket, 1990.

COTTRAUX, Jean, *Les Thérapies cognitives*, Retz, coll. « Psychologie dynamique », 1992.

FERGUSON, Marilyn, *Les Enfants du Verseau : Pour un nouveau paradigme*, Calmann-Lévy, 1981.

FOURNIER, Anne, et MONROY, Michel, *La Dérive sectaire*, PUF, coll. « Le Sociologue », 1999.

LACROIX, Michel, *Se réaliser*, Robert Laffont, 2009.

LE SCANFF, Christine, *La Conscience modifiée*, Payot, coll. « Documents », 1995.

PROD'HOMME, Gilles, *Le Développement personnel, c'est quoi ?*, InterÉditions, 2002.

On lira également avec profit les articles que *Psychologies Magazine* consacre régulièrement au développement personnel.

TABLE DES MATIÈRES

OBJECTIFS ET MÉTHODES

CHAPITRE I

CHAPITRE II